dtv
Beziehung
D0453383

In Erinnerung an seine Kindheit macht sich der Erzähler auf die Suche nach der ehemaligen Besitzerin einer Imbißbude am Hamburger Großneumarkt. Er findet die hochbetagte Lena Brücker und erfährt die Geschichte ihrer »schönsten Jahre« und wie es zur Entdeckung der Currywurst kam. Der Bogen spannt sich weit zurück in die letzten Apriltage des Jahres 1945 ... »Uwe Timm gestaltet eine ebenso groteske wie rührende, phantastische wie im konkreten Alltag verwurzelte Liebesgeschichte ... Er schafft auf geradezu artistische Weise ein weitverzweigtes, raffiniert montiertes und außerordentlich vergnüglich zu lesendes literarisches Kunststück.« (Detlef Grumbach in der ›Woche‹)

Uwe Timm wurde am 30. März 1940 in Hamburg geboren. Er studierte Philosophie und Germanistik in München und Paris. Seit 1971 lebt er als freier Schriftsteller in München. Weitere Werke u. a.: ›Heißer Sommer‹ (1974), ›Morenga‹ (1978), ›Kerbels Flucht‹ (1980), ›Der Mann auf dem Hochrad‹ (1984), ›Der Schlangenbaum‹ (1986), ›Rennschwein Rudi Rüssel‹ (1989), ›Kopfjäger‹ (1991), ›Johannisnacht‹ (1996), ›Nicht morgen, nicht gestern‹ (1999), ›Rot‹ (2001), ›Am Beispiel meines Bruders‹ (2003), ›Der Freund und der Fremde‹ (2005).

Uwe Timm

Die Entdeckung der Currywurst

Novelle

Deutscher Taschenbuch Verlag

Vom Autor neu durchgesehene Ausgabe
November 2000
10. Auflage Januar 2006
Deutscher Taschenbuch Verlag GmbH & Co. KG,
München
www.dtv.de

Umschlagkonzept: Balk & Brumshagen
Umschlagbild: Ausschnitt aus dem Gemälde ›Die rote Jacke‹ (1924)
von Albert Aereboe
Gesetzt aus der Stempel Garamond 10,5/12,75· (3B2)
Gesamtherstellung: Druckerei C. H. Beck, Nördlingen
Gedruckt auf säurefreiem, chlorfrei gebleichtem Papier
Printed in Germany · ISBN 3-423-12839-9

Für
Hans Timm
(1899–1958)

I

Vor gut zwölf Jahren habe ich zum letzten Mal eine Currywurst an der Bude von Frau Brücker gegessen. Die Imbißbude stand auf dem Großneumarkt – ein Platz im Hafenviertel: windig, schmutzig, kopfsteingepflastert. Ein paar borstige Bäume stehen auf dem Platz, ein Pissoir und drei Verkaufsbuden, an denen sich die Penner treffen und aus Plastikkanistern algerischen Rotwein trinken. Im Westen graugrün die verglaste Fassade einer Versicherungsgesellschaft und dahinter die Michaeliskirche, deren Turm nachmittags einen Schatten auf den Platz wirft. Das Viertel war während des Krieges durch Bomben stark zerstört worden. Nur einige Straßen blieben verschont, und in einer, der Brüderstraße, wohnte eine Tante von mir, die ich als Kind oft besuchte, allerdings heimlich. Mein Vater hatte es mir verboten. Klein-Moskau wurde die Gegend genannt, und der Kiez war nicht weit.

Später, wenn ich auf Besuch nach Hamburg kam, bin ich jedesmal in dieses Viertel gefahren, durch die Straßen gegangen, vorbei an dem Haus meiner Tante, die schon vor Jahren gestorben war, um schließlich – und das war der eigentliche Grund – an der Imbißbude von Frau Brücker eine Currywurst zu essen.

Hallo, sagte Frau Brücker, als sei ich erst gestern dagewesen. Einmal wie immer?

Sie hantierte an einer großen gußeisernen Pfanne.

Hin und wieder drückte eine Bö den Sprühregen unter

das schmale Vordach: eine Feldplane, graugrün gesprenkelt, aber derartig löchrig, daß sie nochmals mit einer Plastikbahn abgedeckt worden war.

Hier geht nix mehr, sagte Frau Brücker, während sie das Sieb mit den Pommes frites aus dem siedenden Öl nahm, und sie erzählte, wer inzwischen alles aus dem Viertel weggezogen und wer gestorben sei. Namen, die mir nichts sagten, hatten Schlaganfälle, Gürtelrosen, Alterszucker bekommen oder lagen jetzt auf dem Ohlsdorfer Friedhof. Frau Brücker wohnte noch immer in demselben Haus, in dem früher auch meine Tante gewohnt hatte.

Da! Sie streckte mir die Hände entgegen, drehte sie langsam um. Die Fingergelenke waren dick verknotet. Is die Gicht. Die Augen wollen auch nicht mehr. Nächstes Jahr, sagte sie, wie jedes Jahr, geb ich den Stand auf, endgültig. Sie nahm die Holzzange und griff damit eine der selbst eingelegten Gurken aus dem Glas. Die haste schon als Kind gern gemocht. Die Gurke bekam ich jedesmal gratis. Wie hältste das nur in München aus?

Imbißstände gibts dort auch.

Darauf wartete sie. Denn dann, und das gehörte mit zu unserem Ritual, sagte sie: Jaa, aber gibts da auch Currywurst?

Nein, jedenfalls keine gute.

Siehste, sagte sie, schüttete etwas Curry in die heiße Pfanne, schnitt dann mit dem Messer eine Kalbswurst in Scheiben hinein, sagte Weißwurst, grausam, und dann noch süßer Senf. Das veddelt einen doch. Sie schüttelte sich demonstrativ: Brrr, klackste Ketchup in die Pfanne, rührte, gab noch etwas schwarzen Pfeffer darüber und schob dann die Wurstscheiben auf den gefältelten Pappteller. Das is reell. Hat was mitm Wind zu tun. Glaub mir. Scharfer Wind braucht scharfe Sachen.

Ihr Schnellimbiß stand wirklich an einer windigen Ecke. Die Plastikbahne war dort, wo sie am Stand festgezurrt war, eingerissen, und hin und wieder, bei stärkeren Böen, kippte eine der großen Plastik-Eistüten um. Das waren Reklametische, auf deren abgeplattetem Eis man die Frikadellen und, wie gesagt, diese ganz einmalige Currywurst essen konnte.

Ich mach die Bude dicht, endgültig.

Das sagte sie jedesmal, und ich war sicher, sie im nächsten Jahr wiederzusehen. Aber in dem darauffolgenden Jahr war ihr Stand verschwunden.

Daraufhin bin ich nicht mehr in das Viertel gegangen, habe kaum noch an Frau Brücker gedacht, nur gelegentlich an einem Imbißstand in Berlin, Kassel oder sonstwo, und dann natürlich immer, wenn es unter Kennern zu einem Streit über den Entstehungsort und das Entstehungsdatum der Currywurst kam. Die meisten, nein, fast alle reklamierten dafür das Berlin der späten fünfziger Jahre. Ich brachte dann immer Hamburg, Frau Brücker und ein früheres Datum ins Gespräch.

Die meisten bezweifelten, daß die Currywurst erfunden worden ist. Und dann noch von einer bestimmten Person? Ist das nicht wie mit Mythen, Märchen, Wandersagen, den Legenden, an denen nicht nur einer, sondern viele gearbeitet haben? Gibt es den Entdecker der Frikadelle? Sind solche Speisen nicht kollektive Leistungen? Speisen, die sich langsam herausbilden, nach der Logik ihrer materiellen Bedingungen, so wie es beispielsweise bei der Frikadelle gewesen sein mag: Man hatte Brotreste und nur wenig Fleisch, wollte aber den Magen füllen, da bot sich der Griff zu beiden an und war noch dazu voller Lust, man mußte das Fleisch und das Brot ja zusammenmanschen. Viele werden es getan haben, gleichzeitig, an verschiedenen Orten, und die unterschiedlichen Namen bezeugen es ja auch: Fleischbengelchen, Boulette, Fleischpflanzerl, Hasenohr, Fleischplätzchen.

Schon möglich, sagte ich, aber bei der Currywurst ist es anders, schon der Name verrät es, er verbindet das Fernste mit dem Nächsten, den Curry mit der Wurst. Und diese Verbindung, die einer Entdeckung gleichkam, stammt von Frau Brücker und wurde irgendwann Mitte der vierziger Jahre gemacht.

Das ist meine Erinnerung: Ich sitze in der Küche meiner Tante, in der Brüderstraße, und in dieser dunklen Küche, deren Wände bis zur Lamperie mit einem elfenbeinfarbenen Lack gestrichen sind, sitzt auch Frau Brükker, die im Haus ganz oben, unter dem Dach, wohnt. Sie erzählt von den Schwarzmarkthändlern, Schauerleuten, Seeleuten, den kleinen und großen Ganoven, den Nutten und Zuhältern, die zu ihrem Imbißstand kommen. Was gab es da für Geschichten. Nichts, was es nicht gab. Frau Brücker behauptete, das läge an ihrer Currywurst, die löse die Zunge, die schärfe den Blick.

So hatte ich es in Erinnerung und begann nachzuforschen. Ich befragte Verwandte und Bekannte. Frau Brükker? An die konnten sich einige noch gut erinnern. Auch an den Imbißstand. Aber ob sie die Currywurst erfunden habe? Und wie? Das konnte mir niemand sagen.

Auch meine Mutter, die sonst alles mögliche und das

bis ins kleinste Detail im Gedächtnis hatte, wußte nichts von der Erfindung der Currywurst. Mit Eichelkaffee habe Frau Brücker lange experimentiert, damals gabs ja nichts. Eichelkaffee habe sie, als sie ihre Imbißbude nach dem Krieg eröffnete, ausgeschenkt. Meine Mutter konnte mir sogar noch das Rezept nennen: Man sammelt Eicheln, trocknet sie in der Backröhre, entfernt die Fruchtschale, zerkleinert und röstet die Fruchtkerne sodann. Danach wird noch die übliche Kaffee-Ersatz-Mischung zugesetzt. Der Kaffee war etwas herb im Geschmack. Wer den Kaffee über einen längeren Zeitraum trank, verlor, behauptete meine Mutter, langsam den Geschmack. Der Eichelkaffee hat die Zunge regelrecht gegerbt. So konnten Eichelkaffeetrinker in dem Hungerwinter 47 sogar Sägespäne in das Brot einbacken, und es mundete ihnen wie ein Brot aus bestem Weizenmehl.

Und dann gab es da noch die Geschichte mit ihrem Mann. Frau Brücker war verheiratet? Ja. Sie hat ihn eines Tages vor die Tür gesetzt.

Warum? Das konnte meine Mutter mir nicht sagen.

Am nächsten Morgen fuhr ich zur Brüderstraße. Das Haus war inzwischen renoviert worden. Der Name von Frau Brücker stand – was ich erwartet hatte – nicht mehr am Klingelbrett. Die ausgetretenen hölzernen Treppenstufen waren durch neue, mit Messingstreifen beschlagene, ersetzt, das Licht im Treppenhaus war hell und ließ mir Zeit, die Treppen bis oben hochzusteigen. Früher leuchtete es nur 36 Stufen lang. Als Kinder liefen wir um die Wette gegen das Licht die Treppe hoch, bis zur obersten Etage, wo Frau Brücker wohnte.

Ich ging durch die Straßen des Viertels, schmale baumlose Straßen. Hier wohnten früher Hafen- und Werftarbeiter. Inzwischen waren die Häuser renoviert und die Wohnungen – die City ist nicht weit – luxuriös ausgestattet worden. In den früheren Milch-, Kurzwaren- und Kolonialwarenläden hatten sich Boutiquen, Coiffeurs und Kunstgalerien eingerichtet.

Nur das kleine Papierwarengeschäft von Herrn Zwerg gab es noch. In dem schmalen Schaufenster stand inmitten von angestaubten Zigarren-, Zigarillo- und Stumpenkisten ein Mann mit Tropenhelm, in der Hand hielt er eine lange Pfeife.

Ich fragte Herrn Zwerg, ob Frau Brücker noch lebe, und wenn, wo.

Was wollen Sie denn, fragte er mit geballtem Mißtrauen. Der Laden ist schon vermietet.

Ich erzählte ihm, als Beweis dafür, daß ich ihn von früher her kenne, wie er einmal, es muß 1948 gewesen sein, auf einen Baum gestiegen sei; der einzige Baum hier in der Gegend, der nicht in den Bombennächten abgebrannt oder später nach dem Krieg zu Brennholz zersägt worden war. Es war eine Ulme. Auf die war eine Katze vor einem Hund geflüchtet. Sie war hoch und immer höher gestiegen, bis sie nicht mehr zurückklettern konnte. Eine Nacht hatte sie im Baum gesessen, auch den folgenden Vormittag noch, dann war Herr Zwerg, der bei den Sturmpionieren gedient hatte, unter den Augen vieler Neugieriger dem Tier nachgestiegen. Die Katze war aber vor ihm höher und noch höher in die Baumkrone geflüchtet, und plötzlich saß auch Herr Zwerg hoch oben im Baum und konnte nicht mehr heruntersteigen. Die Feuerwehr mußte kommen und holte mit einer Leiter beide, Herrn Zwerg und die Katze, aus dem Baum. Meiner Erzählung hatte er schweigend zugehört. Er drehte sich um, nahm sein linkes Auge heraus und putzte es mit einem Taschentuch. Das waren Zeiten, sagte er. Er setzte sich das Auge wieder ein und schnupfte sich die Nase aus. Ja, sagte er schließlich, ich war überrascht, als ich so weit oben saß, konnte von oben die Distanz nicht recht abschätzen.

Er war von den alten Bewohnern der letzte in dem Haus. Vor zwei Monaten hatte ihm der neue Hausbesitzer eine Mieterhöhung angekündigt. Die war nicht mehr bezahlbar. Würd ja noch weitermachen, auch wenn ich nächstes Jahr achtzig werd. Kommt man so ja unter die Leute. Rente? Schon. Verhungern kannste nich davon, aber leben auch nich. Jetzt kommt hier ne Vinothek rein. Dachte zuerst, is so was wie n Musikgeschäft. Frau Brükker? Nee, is schon lange weg. Die is bestimmt schon nicht mehr.

Ich habe sie dann doch noch getroffen. Sie saß am Fenster und strickte. Die Sonne schien abgemildert durch die Stores. Es roch nach Öl, Bohnerwachs und Alter. Unten im Empfang saßen rechts und links an den Korridorwänden viele alte Frauen und ein paar alte Männer, Filzhausschuhe an den Füßen, orthopädische Manschetten an den Händen, und starrten mich an, als hätten sie seit Tagen auf mein Kommen gewartet. 243 hatte mir der Pförtner als Zimmernummer gesagt. Ich war zum Einwohnermeldeamt gegangen, dort hatte man mir ihre Adresse gegeben, ein städtisches Altersheim in Harburg.

Ich habe sie nicht wiedererkannt. Ihr Haar war, schon als ich sie zuletzt gesehen hatte, grau, aber jetzt war es dünn geworden, ihre Nase schien gewachsen zu sein, auch das Kinn. Das früher leuchtende Blau ihrer Augen war milchig. Allerdings waren ihre Fingergelenke nicht mehr geschwollen.

Sie behauptete, sich deutlich an mich erinnern zu können. Kamst als Junge auf Besuch, nich, und hast bei der Hilde iner Küche gesessen. Später warste manchmal am Imbißstand. Und dann bat sie mich, mein Gesicht anfassen zu dürfen. Sie legte das Strickzeug aus den Händen. Ich spürte ihre Hände, ein flüchtig tastendes Suchen. Zarte, weiche Handflächen. Die Gicht is weg, dafür kann ich nix mehr sehen. Gibt eben so was wie n allmächtigen Ausgleich. Hast ja keinen Bart mehr, auch das Haar nich mehr so lang. Sie blickte hoch und in meine Richtung, aber doch ein wenig an mir vorbei, als stünde hinter mir ein anderer. Neulich war einer da, sagte sie, der wollte mir ne Zeitschrift andrehn. Ich kauf nix.

Sobald ich sprach, korrigierte sie den Blick und sah mir manchmal in die Augen. Ich wollte nur etwas fragen. Ob ich das richtig in Erinnerung hätte, daß sie kurz nach dem Krieg die Currywurst erfunden habe.

Die Currywurst? Nee, sagte sie, ich hab nur nen Imbißstand gehabt.

Einen Moment lang dachte ich, es wäre besser gewesen, sie gar nicht besucht und gefragt zu haben. Ich hätte dann weiter eine Geschichte im Kopf gehabt, die eben das verband, einen Geschmack und meine Kindheit. Jetzt, nach diesem Besuch, konnte ich mir genausogut irgend etwas ausdenken.

Sie lachte, als könne sie mir meine Ratlosigkeit, ja meine Enttäuschung, die ich nicht verbergen mußte, ansehen.

Doch, sagte sie, stimmt, will mir hier aber keiner glauben. Die haben nur gelacht, als ich das erzählte. Haben gesagt, ich spinne. Jetzt geh ich nur noch selten runter. Ja, sagte sie, ich hab die Currywurst entdeckt.

Und wie?

Is ne lange Geschichte, sagte sie. Mußte schon n bißchen Zeit haben.

Hab ich.

Vielleicht, sagte sie, kannste nächstes Mal n Stück Torte mitbringen. Ich mach uns n Kaffee.

Siebenmal fuhr ich nach Harburg, sieben Nachmittage der Geruch nach Bohnerwachs, Lysol und altem Talg, siebenmal half ich ihr, die sich langsam in den Abend ziehenden Nachmittage zu verkürzen. Sie duzte mich. Ich siezte sie, aus alter Gewohnheit.

Man wartet ja auf nix, sagte sie, und dann nix mehr sehen. Siebenmal Torte, siebenmal schwere süßmassive Keile: Prinzregenten, Sacher, Mandarinensahne, Käsesahne, siebenmal brachte ein freundlicher Zivildienstleistender namens Hugo rosafarbene Pillen gegen zu hohen Blutdruck, siebenmal übte ich mich in Geduld, sah sie stricken, schnell und gleichmäßig klapperten die Nadeln. Das Vorderteil eines Pullovers für ihren Urenkel entstand vor meinen Augen, ein kleines Strickkunstwerk, eine Wollandschaft, und hätte mir jemand erzählt, das sei das Werk einer Blinden, ich hätte es nicht geglaubt. Zuweilen hatte ich den Verdacht, sie sei gar nicht blind, aber dann tastete sie sich wieder an die Stricknadeln im Pullover heran und erzählte weiter, zuweilen unterbrochen, wenn sie nachdenklich die Maschen zählte, den Rand befühlte, nach dem anderen Faden tastete – sie mußte ja mit zwei, manchmal sogar mit mehr Fäden arbeiten –, die Nadel langsam, aber zielgenau in die Maschen einführte, in sich versunken und doch über mich hinwegsah, um sodann ohne jede Hast, aber auch ohne zu stocken die Strickarbeit wiederaufzunehmen, erzählte von notwendigen und zufälligen Ereignissen, wer und was alles eine Rolle gespielt hatte bei der Entdeckung der Currywurst: ein Bootsmann der Marine, ein silbernes Reiterabzeichen, zweihundert Fehfelle, zwölf Festmeter Holz, eine whiskytrinkende Wurstfabrikantin, ein englischer Intendanturrat und eine englische rotblonde Schönheit, drei Ketchupflaschen, Chloroform, mein Vater, ein Lachtraum und vieles mehr. Das alles erzählte sie stückchenweise, das Ende hinausschiebend, in kühnen Vor- und Rückgriffen, so daß ich hier auswählen, begradigen, verknüpfen und kürzen muß. Ich lasse die Geschichte am 29. April 1945, an einem Sonntag beginnen. Das Wetter in Hamburg: überwiegend stark bewölkt, trocken. Temperatur zwischen 1,9 und 8,9 Grad.

2.00: Hitlers Trauung mit Eva Braun. Trauzeugen sind Bormann und Goebbels.

3.30: Hitler diktiert sein politisches Testament. Großadmiral Dönitz soll seine Nachfolge als Staatsoberhaupt und Oberbefehlshaber antreten.

5.30: Die Engländer gehen bei Artlenburg über die Elbe.

Hamburg soll als Festung bis zum letzten Mann verteidigt werden. Barrikaden werden gebaut, der Volkssturm wird aufgerufen, der Heldenklau geht durch die Krankenhäuser, das letzte, das allerletzte, das allerallerletzte Aufgebot wird an die Front geworfen, so auch der Bootsmann Bremer, der in Oslo im Stab des Admirals die Seekartenkammer geleitet hatte. Dort war er seit Frühjahr 44 so gut wie unabkömmlich gewesen, bis er Heimaturlaub bekam und auch gefahren war, nach Braunschweig. Er hatte seine Frau besucht und seinen knapp einjährigen Sohn zum ersten Mal gesehen und sich überzeugen können, daß er zahnte und Papa sagen konnte. Dann hatte er sich wieder auf die Rückreise zu dem Seekartenmagazin gemacht, war in einem überfüllten Personenzug bis Hamburg gekommen, von dort mit einem Militärlaster nach Plön gefahren, am nächsten Tag von einem Pferdefuhrwerk nach Kiel mitgenommen worden, von wo aus er sich nach Oslo einzuschiffen gedachte. In Kiel war er aber zu einer Panzerjagd-Einheit abkommandiert worden und nach einer dreitägigen Ausbildung an der Panzerfaust nach Hamburg befohlen worden, wo er sich bei seiner neuen Einheit melden mußte, die im Endkampf in der Lüneburger Heide eingesetzt werden sollte.

Gegen Mittag war er in Hamburg angekommen, hatte etwas von seiner Marschverpflegung, zwei Scheiben Kommißbrot und eine kleine Dose Leberwurst, gegessen und war durch die Stadt gegangen. Er kannte Hamburg von früheren Besuchen, konnte die Straßen aber nicht wiedererkennen. Einige Fassaden waren stehengeblieben, dahinter die borstig ausgebrannte Turmruine der Katharinenkirche. Kalt war es. Eine von Nordwesten herantreibende Wolke schob sich der Sonne entgegen. Bremer sah auf der Straße den Schatten auf sich zuwandern, und er erschien ihm wie ein dunkles Vorzeichen. Am Straßenrand zerschlagene Ziegel, verkohlte Balken, Bruchstücke von Sandsteinquadern, die einmal das Portal eines Hauseingangs gewesen waren, noch stand ein Teil der Treppe, aber sie führte ins Nichts. Wenige Menschen waren auf der Straße, zwei Frauen zogen eine kleine Handkarre, ein, zwei Wehrmachtslaster mit Holzvergasern fuhren vorbei, ein von einem Pferd gezogenes Dreiradauto. Bremer erkundigte sich nach einem Kino. Man schickte ihn zu *Knopfs Lichtspielhalle* auf der Reeperbahn. Er ging zum Millerntor, dann zur Reeperbahn. Nutten standen, grau und abgehärmt, in den Hauseingängen, zeigten ihre mageren Beine. *Wunschkonzert* wurde in der Abendvorstellung gezeigt. Vor der Kasse stand eine lange Schlange. Man konnte sich ja sonst für sein Geld nichts mehr kaufen.

Tschuldigung, sagte er, weil er die Frau, die sich hinter ihm angestellt hatte, mit seinem Marschgepäck weggedrückt hatte.

Macht nichts, sagte Lena Brücker. Sie war gleich nach Feierabend aus der Lebensmittelbehörde nach Hause gegangen, hatte sich umgezogen und, da die Sonne hin und wieder zwischen den Wolken leuchtete, ihr Kostüm angezogen. Den Rock hatte sie für dieses Frühjahr etwas gekürzt. Ihre Beine konnten sich sehen lassen, noch, wie sie dachte, denn in drei, vier Jahren wäre sie für einen derart kurzen Rock schon zu alt. Sie hatte sich die Beine mit der hellbraunen Strumpffarbe eingerieben, die Stellen, die etwas zu dunkel geraten waren, verstrichen und sich dann vor dem Spiegel einen feinen schwarzen Strich über die

Waden gezogen. Mindestens drei Schritte mußte sie vom Spiegel weggehen, dann aber sah es aus, als trüge sie Seidenstrümpfe. Auf dem Großneumarkt roch es nach Brand und nassem Mörtel. Am Millerntor war in der Nacht zuvor ein Haus von einer Brandbombe getroffen worden. Noch immer schwelte der Schuttberg. Die Büsche in dem Vorgarten waren von der jähen Hitze ergrünt, die zu nah an der Brandruine stehenden verdorrt, einige Ästchen sogar verkohlt. Sie ging an dem Café Heinze vorbei, von dem nur noch die Fassade stand. Neben dem Eingang war noch auf einem Schild zu lesen: *Swing tanzen verboten! Reichskulturkammer.* Längst wurde der Schutt auf dem Bürgersteig nicht mehr weggeräumt. Die Bars waren geschlossen, kein Tanz, kein Striptease. Sie kam zu *Knopfs Lichtspielhalle*, außer Atem, sah die Schlange, dachte, hoffentlich komm ich noch rein, stellte sich hinter einem Marinesoldaten an, einem jungen Bootsmann.

So waren Hermann Bremer und Lena Brücker Schritt um Schritt hierher und hintereinander zu stehen gekommen, und er hatte sie mit seinem Gepäck, einem Seesack mit einer daraufgebundenen, eingerollten graugrün gesprenkelten Feldplane, gestreift. Macht nichts. Erst ein Zufall ließ sie ins Gespräch kommen. Sie kramte in ihrer Handtasche nach der Geldbörse, da rutschte ihr der Haustürschlüssel raus. Er bückte sich, sie bückte sich, sie stießen mit den Köpfen zusammen, nicht stark, nicht schmerzhaft, er spürte kurz nur ihr Haar im Gesicht, sanft, weichblond. Er hielt ihr den Schlüssel hin. Was war ihr zuerst aufgefallen? Die Augen? Nee, die Sommersprossen, er hatte Sommersprossen auf der Nase, mittelblondes Haar. Hätte glatt mein Sohn sein können. Sah aber noch jünger aus, als er war, damals 24 Jahre. Dachte im ersten Moment, der ist neunzehn, vielleicht zwanzig. Nett sah er aus, so dünn und hungrig. War so zögernd und etwas unsicher, aber mit offenen Augen. Sonst hab ich mir nix dabei gedacht. Nicht in dem Augenblick. Ich hab ihm von dem Film erzählt, den ich in der letzten Woche gesehen hatte: *Es war eine rauschende Ballnacht.* Filmegucken war das einzige Vergnügen, wenn nicht mal wieder das Licht ausfiel.

Sie wollte wissen, auf welchen Einheiten er fahre. Sie fragte das mit dem richtigen Begriff. Das hatte man ja täglich gehört und gelesen: schwere Einheiten, die Schlachtschiffe, Panzerkreuzer, Schweren Kreuzer. Nur war von den schweren Einheiten, abgesehen von der *Prinz Eugen*, nichts mehr übriggeblieben. Aber leichte Einheiten gabs noch, Torpedoboote, Schnellboote, Minensuchboote. Und dann die U-Boote.

Nein, er sei in der letzten Zeit im Stab des Admirals in Oslo gewesen, Abteilung Seekarten. War auf einem Zerstörer gefahren, 1940. In Narvik versenkt. Später auf einem Torpedoboot im Ärmelkanal, dann ein Vorpostenboot. Sie saßen im Kino nebeneinander auf knarzenden Sesseln, kalt war es. Sie fror in ihrem Kostüm. Die Wochenschau: Lachende deutsche Soldaten fuhren vorbei, um einen russischen Angriff irgendwo an der Oder zurückzuschlagen. Die Vorschau auf den nächsten Film: *Kolberg.* Gneisenau und Nettelbeck, Kristina Söderbaum, die Reichswasserleiche, lacht und weint. Noch während der Vorschau – Kolberg brannte – begannen draußen die Luftschutzsirenen zu heulen. Das Saallicht ging an, flakkerte, fiel aus. Licht von Taschenlampen. Die Zuschauer drängten aus den beiden Saaltüren, liefen in Richtung auf den großen Bunker an der *Reeperbahn.* In einen Großbunker wollte sie auf keinen Fall. Lieber in irgendeinen Luftschutzkeller. Einer dieser großen Bunker hatte nämlich neulich einen Volltreffer vor die Tür bekommen. Ein Feuersturm war durch den Bunker gegangen. Später sah man die Menschen an den Leitungen hängen, verkohlt und klein wie Puppen. Lena Brücker lief zu einem Wohnhaus, folgte dem weißen Pfeil: Luftschutzraum, hinter ihr her Bremer.

Ein Luftschutzwart, ein alter Mann mit einem nervösen Zucken im Gesicht, schloß hinter ihnen die Stahltür. Lena Brücker und Bremer setzten sich auf eine Holzbank. Ihnen gegenüber saßen die Hausbewohner, einige alte Männer, drei Kinder, mehrere Frauen, die neben sich Koffer und Taschen gestellt, Decken und Federbetten um die Schultern gelegt hatten.

Sie wurden von den Leuten angestarrt. Dachten wohl: das ist Mutter und Sohn. Oder: das ist ein Liebespaar. Der Luftschutzwart, mit seinem Stahlhelm auf dem Kopf, kaute, sah zu ihnen herüber. Was wird er gedacht haben? Da hatte sich mal wieder eine reife Frau einen jungen Mann angelacht. Wie die beiden die Köpfe zusammensteckten. Der Rock war ziemlich kurz. Ein gutes Stück vom Oberschenkel war zu sehen. Strümpfe trug die nicht, die Farbe war dort, wo sie die Beine übereinanderschlug, abgerieben, dort war hell das nackte Fleisch zu sehen. Aber ne Nutte war das nicht. Nicht mal eine dieser Amateurnutten. Deren Geschäfte gingen schlecht, ganz schlecht sogar. Gab ja jede Menge alleinstehender Frauen.

Ehemänner im Feld geblieben oder an der Front. Die Frauen schmissen sich den Männern an den Hals. Der Luftschutzwart griff in die Tasche seines Mantels und holte ein Stückchen Schwarzbrot raus. Er kaute und starrte zu Lena Brücker rüber. Überall Frauen, Kinder, alte Leute. Und da sitzt so n Junge von der Marine. Die beiden sitzen und flüstern. Haben sich bestimmt auf einem Tanzfest kennengelernt, einem privaten natürlich, öffentliche waren ja verboten. Keine öffentlichen Vergnügungen mehr, während draußen Väter und Söhne kämpften. Und fielen. Alle sechs Sekunden fällt ein deutscher Soldat. Aber Feiern läßt sich nicht verbieten, nicht das Lustigsein, nicht dieser Drang zu lachen, gerade wenn es so wenig zu lachen gibt.

Der Luftschutzwart beugte sich vor, versuchte etwas von dem Gespräch der beiden mitzuhören. Aber was hörte er? Leitstelle, Kartenkammer, Seekarten. Bremer flüsterte von Seekarten, die gerollt, gefaltet, numeriert und alphabetisch geordnet werden mußten, die er in Oslo im Stab des Admirals verwalten, das heißt mit neuen Karten vergleichen oder austauschen mußte.

Dabei durfte es zu keiner Verwechslung kommen. Denn die Karten mußten immer auf dem neuesten Stand sein, er zeichnete ein, wo die Vorpostenboote standen, vor allem aber, wo die Minenfelder lagen, wo die Einfahrten und die Durchfahrten waren. Sonst konnte passieren, was schon passiert war, daß deutsche Schiffe auf die selbstgelegten Minen fuhren. Er wolle sich keineswegs interessant machen, aber der Posten sei nicht unwichtig, und jetzt sei er, nach einem Urlaub in Braunschweig, auf der Rückreise nach Oslo zu einer Panzerjagd-Einheit abkommandiert worden. Verstehen Sie, sagte er, ich bin Seemann. Sie nickte. Er sagte nicht: Ich habe keine Erfahrung im Erdkampf, das ist der reine Wahnsinn. Er sagte nicht: Die wollen mich in letzter Minute noch verheizen. Er sagte das nicht nur nicht, weil man als Mann, zumal als Soldat, so etwas nicht sagen konnte, sondern weil es nicht ratsam war, das jemandem, den man noch nicht richtig kannte, zu sagen. Immer noch gab es Volksgenossen, die Defätismus anzeigten. Zwar sah er an ihrem Kostüm nicht das Parteiabzeichen. Das sah man aber in diesen Tagen nur noch selten. Man trug es unter dem Mantel, gut verdeckt vom Schal.

Plötzlich: ein fernes dumpfes Brummeln, ein erdtiefes Wühlen. Der Hafen, sagte Lena Brücker. Sie bombardieren den U-Boot-Bunker. Fern das Grummeln der explodierenden Bomben. Dann – nah – eine Detonation, ein Stoß, die Notbeleuchtung fiel aus, und noch ein Stoß, der Boden schwankte, das Haus, der Keller schaukelte wie ein Schiff. Die Kinder schrien, und auch Bremer hatte aufgeschrien. Lena Brücker legte ihm den Arm um die Schulter. Hat nicht das Haus getroffen, war irgendwo nebenan.

Auf einem Schiff sieht man die Flugzeuge, auch, wie die Bomben fallen, sagte er entschuldigend, hier ist es ein bißchen überraschend.

Man gewöhnt sich dran, sagte Lena Brücker und ließ ihn los.

Der Luftschutzwart leuchtete mit einer Taschenlampe die Stahltür ab. Der Lichtstrahl wanderte über die Leute, die eingehüllt in ihren Decken dasaßen, als seien sie eingeschneit. Und noch immer rieselten Kalk und Staub von der Decke.

Nach einer Stunde kam die Entwarnung. Draußen

hatte ein feiner Nieselregen eingesetzt. In der Straße, nur wenige Meter von dem Haus, war der Krater, drei, vier Meter tief. Schräg gegenüber brannten das Dach und die obere Etage eines Hauses. Frauen trugen aus der unteren Etage einen Sessel, Wäsche, eine Standuhr, Vasen heraus, auf dem Gehweg stand schon ein kleiner runder Tisch, darauf sorgfältig zusammengelegte Bettwäsche. In der Luft schwebten brennende Gardinenfetzen. Was Bremer schon in Braunschweig während eines Bombenangriffs überrascht hatte, war, daß die Leute nicht weinten, nicht schrien, nicht verzweifelt die Hände rangen, daß sie wie bei irgendeinem Umzug die leichteren Dinge aus einem Haus trugen, dessen Dach brannte. Andere gingen gelassen, nein, gleichmütig vorbei. Eine alte Frau saß in einem Sessel wie im Wohnzimmer, nur daß sie im Regen saß, auf dem Schoß einen Vogelkäfig, darin sprang ein Zeisig herum und schrie, ein anderer lag am Boden.

Lena Brücker schlug das Revers ihres Kostüms vor der Brust zusammen, sagte, hoffentlich ist nicht mein Haus getroffen worden. Bremer entrollte seine Feldplane, graugrün gesprenkelte Tarnfarbe. Er zog die Plane vorsichtig über Lena Brückers Kopf und Schultern. Sie hob die Plane ein wenig, damit auch er darunterkam, den Arm um sie legte, und so gingen sie eng aneinandergeschmiegt durch den dichter fallenden Regen, ohne ein Wort zu sagen und wie selbstverständlich zu ihr, in die Brüderstraße. Das Licht im Treppenhaus brannte nicht, vorsichtig tappten sie die Treppe hinauf, bis er hinter ihr stolperte, da nahm sie ihn an der Hand, ging voraus und schloß oben ihre Wohnungstür auf. Sie ging vor ihm in die Küche und zündete eine Petroleumlampe an.

Frau Brücker legt das Strickzeug aus der Hand, steht auf, geht zum Wohnzimmerschrank, ohne zu zögern, ein polierter Birkenholz-Schrank mit einem verglasten Mittelteil. Sie ertastet den Schlüssel, an dem eine Troddel hängt, und öffnet die rechte Seitentür, greift in ein Fach, zieht ein Album heraus, kommt zurück und legt es auf den Tisch. Ein Fotoalbum, eingebunden in burgunderroten Rupfen. Kannste mal blättern. Muß auch ein Foto von der Küche drin sein.

Auf den ersten Seiten sind die Fotos säuberlich mit weißer Tinte beschrieben, dann nur noch eingeklebt, später liegen sie zusammengeschoben zwischen den Seiten. Gibt es ein Foto von diesem Bootsmann? Nee, sagt sie. Ich blättere: Lena Brücker als Baby auf einem Eisbärenfell, als Mädchen im gestärkten Rüschenkleid, im dunklen Kleid mit Konfirmandensträußchen, dann ein Baby mit Strickhäubchen und Beißring, ihre Tochter Edith, ein Junge auf einem Tretroller, ein Mädchen mit Haarschnekken, nach oben blickend, in den Händen zwei Stöckchen mit Schnur, offensichtlich wartet sie auf ein Jojo, das im Bild aber noch nicht zu sehen ist, ein Junge mit einem Teddy unter dem Weihnachtsbaum, Frau Brücker an Bord einer Barkasse, das Haar verweht im Gesicht, das Kleid wird ihr zwischen die Beine gedrückt.

Sie hat sich wieder das Strickzeug gegriffen, zählt die Maschen, ihre Lippen bewegen sich. Ein Mann auf einer Barkasse. Sieht Gary Cooper ähnlich, sage ich. Sie lacht. Ja, das is Gary. Mein Mann. Haben alle gesagt: sieht aus wie Gary Cooper. Sah wirklich gut aus. War aber auch das Leid. Die Frauen waren hinter ihm her. Und er hinter den Frauen. Na ja. Is schon lange tot.

Dann das Bild, das Frau Brücker in der Küche zeigt. Sie steht neben einer jungen Frau. Rund, sommersprossig, beschreibe ich die Frau. Die kennste, wohnte auch im Haus, Frau Claussen, unten, die Frau von dem Baggerführer, sagt Frau Brücker und starrt nachdenklich die Wand an. Was hab ich für ein Kleid an? Dunkel mit kleinen hellen Punkten und einem weißen Spitzenkragen, es hat, ich zögere, einen tiefen Ausschnitt. Sie lacht, legt das Strickzeug auf den Tisch. Ja. Das Kleid ist von meinem Mann. War mein schönstes Kleid. Das Haar, blond, trägt sie hochgesteckt, es quillt über die beiden seitlich eingesteckten Schildpatt-Kämme.

Ich hab damals nur die Küche warmgekriegt. Siehste den Ofen? Ja. Ein kleiner gußeiserner Ofen in der Mitte der Küche. Das Abzugrohr geht mit einem Knick durch den Raum, führt aus dem oberen, mit einer schwarzen Pappe verschlossenen Sprossenfenster raus. Sollte noch möglichst viel Wärme abgeben. Konnte auf dem Ofen beides: heizen und kochen. Hatte sonst ja einen Gasherd. Aber Gas gabs nur noch selten. Der Gasometer war zerstört. Hatte mir das genau eingeteilt, jeden Tag zwei Briketts, dazu noch Trümmerholz. Konnte man sich aus den Trümmern holen, allerdings nur mit einem Berechtigungsschein.

An dem Abend hatte sie noch zwei Briketts nachgelegt, die Ration für den nächsten Tag. Egal, sagte sie sich, es sollte in dieser Nacht warm sein, richtig warm. Sie setzte Wasser auf, schüttete eine Handvoll Kaffeebohnen in die Mühle. Wann mußte er morgen bei seiner Einheit sein? Um 5 Uhr am Hauptbahnhof. Von dort sollte er an die Front bei Harburg verlegt werden. Die Engländer standen schon auf der anderen Elbseite. Man konnte zu Fuß zur Front laufen. Aber sie sollten mit einem Laster gefahren werden. Es wurde warm. Er zog seinen Stutzer aus. An seiner Marineuniform trug er zwei Orden und das EK-II-Band, das Narvikschild und ein silbernes Abzeichen. Ein Abzeichen, das sie bis dahin noch nie gesehen hatte. Das Deutsche Reiterabzeichen. Das war doch was für Kavalleristen, Artilleristen, allenfalls Infanteristen, aber doch nichts für einen Bootsmann.

Mein Glücksbringer, sagte er. Überall, wo er damit auftauche, lachen die Leute, so wie sie. Und so komme er mit allen ins Gespräch. Mit Vorgesetzten wie Untergebenen. Eiserne Kreuze, Deutsche Kreuze, Kriegsverdienstkreuze, Ritterkreuze, das alles gab es nach über fünf Kriegsjahren in Hülle und Fülle, keinen Menschen interessiere das noch, aber ein Reiterabzeichen, das jemand von der Marine trägt, das erinnere jeden an diesen Uraltwitz von der reitenden Gebirgsmarine. Und jeder fragt, wie kommen Sie zu dem Ding. So habe er auch den Druckposten im Stab des Admirals bekommen. Er wäre sonst längst bei den Fischen. Er hatte ein halbes Jahr auf einem Vorpostenboot, oben am Nordkap, Dienst getan. Eintönig, sagte er, Wache schieben. Kalt und gefährlich. Immer wieder kamen Torpedoflieger von England rüber. Dieses Vorpostenboot war ein umgebauter dänischer Fischdampfer. Den Diesel hatte Noah schon beim Besteigen der Arche als veraltet zurückgewiesen. Der Diesel fiel jedesmal aus, wenn man ihn besonders dringend brauchte. Meist bei Sturm. Dann kamen die Brecher mitschiffs rüber. Riesige Kaventsmänner. Ein Geschaukel war das und verdammt gefährlich. Mußte er mit dem Maschinisten runter, Diesel reparieren. Der Kommandant, ein Leutnant der Reserve, war fast immer blau. Einmal kam ein Bomber. Dachten schon, nun ist es aus. Wenn der Torpedos wirft. Aber der hatte nur Bomben. Hab ich mit der Zwokommazwo-Flak draufgehalten. Treffer. Ist abgeschmiert. Er tippte sich auf das schwarzweißrote Bändchen im Knopfloch. Hatte er bemerkt, daß sie ihm schon nicht mehr richtig zuhörte? Heldentaten interessierten sie nicht, schon früher nicht, und schon gar nicht mehr nach fünf Kriegsjahren. Fünf Jahre Siegesfanfaren, fünf Jahre Sondermeldungen, fünf Jahre: fiel für Führer, Volk und Vaterland.

Ja, sagte er, ich bin vom Kurs abgekommen. Also, als wir in Trondheim lagen, kam der kommandierende Admiral Norwegens zur Inspektion. Wir waren angetreten. Der Admiral schreitet die Front ab, bleibt vor mir stehen. Sieht mich an, grinst: Mensch, reiten Sie über See? Was sind Sie von Beruf? Maschinenbauer, Herr Admiral. Befahl, mich in seinen Stab nach Oslo zu versetzen. Ich bekam die Kartenkammer zur Aufsicht.

Und als er nach einer bedeutungsschweren Pause anfangen wollte zu erzählen, was er vom Vorpostenboot aus beobachtet hatte, wie ein Boot auf eine Mine lief, eine Detonation, das Wasser wurde hochgewuchtet, der Dampfer brach auseinander, das Zischen des Feuers im Kessel, das Schreien der Männer im eisigen Wasser, wie die untergingen, einige aber, die Schwimmwesten trugen, schrien, schrien, als sie zwei von denen rausfischten und sehen mußten, denen waren die Beine buchstäblich in den Leib gerammt worden, die starben, schreiend, wollte er sagen, das war gleich auf seiner ersten Fahrt, da drückte sie ihm die Kaffeemühle in die Hand. Sie wollte nichts hören von Ertrinkenden, Erfrierenden, Verstümmelten, sie wollte, daß er den Kaffee mahle, sie wollte nicht die Geschichte des Narvikschilds hören, sondern nur, wie er an dieses ganz unmilitärische, genaugenommen einzig sympathische Abzeichen gekommen sei. Das habe ja vermutlich niemanden das Leben gekostet, allenfalls das Pferd etwas Schweiß. Warten Sie, sagte sie und nahm ihm die Kaffeemühle wieder aus der Hand, schüttete noch ein paar Kaffeebohnen nach, so viel hatte sie in den letzten Monaten nie auf einmal genommen. Sie wollte wach sein. Eine Extrazuteilung, vor zehn Tagen gab es diese Sonderzuteilung. Die Bewohner sollten mit Lebensmitteln eingedeckt sein, wenn es in der Stadt zum Kampf käme. Er begann, den Kaffee zu mahlen. Sie schenkte von dem Birnenschnaps, einem gnadenlosen Schwarzbrand, 70%, zwei Gläser voll. Prost. Der wärmt auf. Den hatte ihr ein Kollege mitgebracht. Sie arbeitete in einer Kantine, in der Lebensmittelbehörde.

Wie nahrhaft, sagte er. Nein. Nur hin und wieder gab es eine Sonderzuteilung oder mal etwas Essen, das sie aus der Kantine mitbringen konnte. Prost. Ob sie ein Radio habe?

Ja. Aber die Röhre ist kaputt. Eine neue habe sie nicht auftreiben können. Außerdem, hören kann man nur noch selten, wenn mal Strom da ist, und dann immer dieser Dr. Baldrian. Baldrian? Ja, Staatssekretär Ahrens. Das is der Mann, der die unangenehmen Nachrichten im Radio bekanntgibt: Der Gasverbrauch muß eingeschränkt werden. Britische Terrorbomben haben das Gaswerk getroffen. Die Volksgemeinschaft findet andere Formen zu kochen. Die Brennhexe. Der kleine Ofen zum Selberbauen. Dr. Baldrian spricht langsam, hat eine ruhige, matte Stimme, nein, sanft, besänftigend. Darum sein Spitzname Baldrian. Kein Strom mehr für die Sirenen. Dann wird unsere schwere Flak fünfmal schießen, das heißt Fliegerwarnung. Wir lassen uns nicht kleinkriegen. Kein Strom mehr, heißt aber auch, daß man Baldrian nicht mehr hören kann: heldenhafter Abwehrkampf vor den Toren der Stadt.

Sie tranken Kaffee und dazu ein zweites Gläschen Birnenschnaps. Hatte er Hunger? Natürlich hatte er Hunger. Sie könne ihm eine falsche Krebssuppe anbieten. Ein Rezept, das sie selbst entwickelt habe. Ein Gericht, sagte sie, wie falscher Hase, und band sich die Schürze um. Karotten und ein Stück Sellerie habe sie im Haus. Auch etwas von dem Tomatenmark, das der Kantine gerade geliefert worden sei. Ein Zentner Tomatenmark, ohne jeden Zusammenhang. Sie holte Karotten, drei Kartoffeln und ein Stück Sellerie aus der Kammer, setzte gut einen Liter Wasser auf, begann, die Karotten zu schälen. Also, wie war er zu dem Reiterabzeichen gekommen?

Er kam aus Petershagen an der Weser. Sein Vater war Tierarzt und hatte zwei Reitpferde, und von dem Vater lernte er das Dressurreiten. Natürlich ist er auch ausgeritten. Dann ging es hinunter zur Weser. Da saß er ab und hatte nur den einen Wunsch, raus aus dem Kaff, möglichst weit weg, dorthin, wohin die Weser floß, zur See. Machte seine Mittlere Reife, dann eine Maschinenbaulehre und danach als Maschinenassi eine Fahrt auf einem Schiff nach Indien, unmittelbar vor dem Krieg. 39 kam er zur Marine. Nach der Grundausbildung wurde er zu einer Strandbatterie nach Sylt versetzt. Nix passierte, aber auch gar nix. Geschütz putzen. Im Ort war ein Reitstall. Hatte jede Menge Zeit. Dort legte er die Prüfung für das Reiterabzeichen ab. Kurz darauf wurde er versetzt, kam auf einen Zerstörer. Ausbildung zum Maat, dann Bootsmann. Dienst auf dem Vorpostenboot. Lena schnitt die Karotten in den Topf, gab dann den Sellerie dazu, drei kleingeschnittene Kartoffeln, sprach den Zauberspruch darüber: Sellerie, Sellerie, Sipprisa, sipprisapprisumm, schüttete das Gemüse in das kochende Wasser, salzte kräftig. So, sagte sie, nu muß das kochen, bis alles sämig ist.

Mein Talisman, sagte er. Jedenfalls bis jetzt, denn wahrscheinlich war der Offizier durch dieses Reiterabzeichen darauf gekommen, ihn einer Panzerjagd-Einheit zuzuteilen. Sie gehen da doch ran wie Ziethen aus dem Busch. Der reine Irrsinn. Sie war ganz darauf konzentriert, den Kaffee einzugießen, dieser Duft. Sie sah, wie sich im Filter dunkelbraun der Schaum an den Rändern hochwölbte, die kleinen helleren Blasen verwandelten sich in Duft.

Waren Sie bei Ihrer Frau?

Nein, bei den Eltern, danach noch in Braunschweig.

Und Sie? Ihr Mann? Ist er an der Front?

Weiß nicht, sagte sie. Hab ihn vor fast sechs Jahren zuletzt gesehen. Wurde gleich 39 eingezogen. Hat ne andere Frau kennengelernt, in Tilsit. Er war in der Etappe. Hin und wieder schreibt er mal.

Vermissen Sie ihn?

Was sollte sie sagen? Sie hätte sagen können – und das wäre die Wahrheit gewesen: Nein. Aber das hätte sich für ihn wie eine Aufforderung anhören müssen.

Kann ich nicht ja und nicht nein sagen. Er war Barkassenführer, später Fernlastfahrer. Aber egal, sagte sie, jetzt ist er irgendwo. Der kommt durch. Ist kein Held. Wahrscheinlich spielt er Krankenschwestern was auf dem Kamm vor. Das kann er. Kann die Leute um den Finger wickeln, nicht nur Frauen. Aber das ist mir egal. Solange der Staat für die Kinder zahlt.

Zwei Kinder?

Ja, einen Sohn, der ist sechzehn. Ist bei der Flak, irgendwo im Ruhrgebiet. Hoffentlich gehts dem Jungen gut. Und eine Tochter, die – sie stockte, sie sagte nicht, die ist zwanzig, mein Gott schon zwanzig, sie sagte, die lernt, obwohl Edith schon vor zwei Jahren als Arzthelferin ausgelernt hatte. Sie ist in Hannover.

Da sind jetzt schon die Engländer, sagte er. Auch in Petershagen. Die haben es hinter sich.

Hoffentlich gabs keine Vergewaltigungen.

Nein, nicht bei den Engländern.

Sie beobachtete ihn und sah in seinem Gesicht, daß er nachdachte, er rechnet, dachte sie, er rechnet jetzt dein Alter aus. Er bemerkt in diesem Augenblick, daß du seine Mutter sein könntest, dieser Blick, der nicht sie, sondern nur einen Teil von ihr traf, etwas an der Oberfläche. Irritiert drehte sie sich dem Herd zu und rührte die aufwallende falsche Krebssuppe um, schmeckte ab, gab noch etwas Salz hinzu und getrockneten Dill. Gleich ist es soweit, sagte sie.

Sie hatten sich unterhalten, sie hatten in einem Keller gesessen, sie waren durch den Regen unter einer Plane nach Hause gegangen. Mehr nicht. Zunächst.

Sie strickte, als sie das sagte, an dem rechten Hügel im

Pullover, hin und wieder – langsam – tasteten ihre Hände die Maschen ab. Dann arbeiteten wieder die Nadeln. Ich wollte wissen, was sie damals in der Kantine gemacht habe. Gekocht? Nee. Ich hab die geleitet. Also Essen und so organisiert. Aber gelernt hab ich Täschnerin. Ledersachen. Schöner Beruf. Bekam aber nach der Lehre keine Stelle und war dann Serviererin in dem Café Lehfeld. Dort hat sie ihren Mann kennengelernt, den Willi, den alle Gary nannten. Sie bediente ihn, und er lud sie zu einem Pharisäer ein. Sie sagte, selbstverständlich und ohne zu zögern, nein und fragte ihn, ob er wohl glaube, der Kaiser von China zu sein. Ja doch, sagte er, zog einen Taschenkamm aus der Hose, legte die feine Papierserviette um den Kamm und begann auf dem Kamm die Melodie *Immer nur lächeln* zu blasen. Im Café brachen die Gespräche ab, alle starrten zu ihnen hinüber, und da hatte sie schnell ja gesagt. Ich wurd gleich in der ersten Nacht schwanger, obwohl mir mein Arzt gesagt hatte, ich kann mit meinem Eileiterknick nicht schwanger werden. Hab dann nach dem zweiten Kind nicht mehr gearbeitet. Im Krieg dienstverpflichtet in die Kantine, erst Abrechnung und dann, mit Beginn des Rußlandfeldzugs, als der Kantinenleiter eingezogen wurde, hab ich den Posten übernommen, sozusagen als Stellvertreterin. Die Behörde ist ja kriegswichtig, also auch die Kantine. Der Koch ist gut, ein Zauberer, ein Wiener, Holzinger, hat früher in Wien, im *Erzherzog Johann,* gekocht. Kann wirklich aus allem etwas machen. Gewürze, sagt er, das ist es. Gewürze, das sind auf der Zunge die Erinnerungen an das Paradies. Sie stellte Teller auf den Tisch, nahm die gestärkten, seit gut zwei Jahren unbenutzten Damastservietten aus der Schublade, holte aus der Kammer die Flasche Madeira, die sie zu ihrem 40. Geburtstag vor drei Jahren vom Behördenleiter bekommen hatte, gab Bremer einen Korkenzieher.

Sie stellte drei Kerzen auf den Tisch. Gleich drei? Klar, nicht gehuckelt, sagte sie, holte auch das kleine Stück Butter aus der Kammer, das für drei Tage reichen sollte, und legte es ihm auf den Teller, drei Scheiben Graubrot, schöpfte ihm die Suppe auf den Teller, streute etwas Petersilie, die sie am Wohnzimmerfenster in einem Kasten zog, auf die Suppe. Prost, sagte sie, und sie stießen mit dem Madeira an. Ein Wein, so süß, daß er Bremer den Mund verklebte. Guten Appetit, sagte sie, aber die Augen schließen! Er löffelte brav mit geschlossenen Augen. Tatsächlich, sagte er, tatsächlich, es schmeckt wie Krebssuppe. Er sagte ihr nicht, daß er noch vor sechs Wochen Hummer und Krabben in Oslo gegessen hatte, mit Meerrettichsahne. Tatsächlich, dachte er, wenn er versuchte, diesen Geschmack zu vergleichen mit dem von vor sechs Wochen, vielleicht ist es ja auch der Hunger, dieser Bärenhunger, er hatte seit drei Tagen nicht mehr warm gegessen, reinschlingen konnte er nicht, er mußte ja schmekken, langsam essen. Durchsichtige Augen hatte sie. Ja, es schmeckte wie Krebssuppe, man mußte nur die Augen schließen, von fern schmeckte es wie Krebssuppe, nur nicht so penetrant, genaugenommen weit besser.

Sie hatte nie kochen mögen. Vielleicht lag es auch an ihrem Vater, der dasaß und das Essen in sich hineinschaufelte, abwesend. Sie hatte immer nach einem Vergleich gesucht, bis ihr der Hofhund einfiel, den sie als Kind auf dem Bauernhof ihres Onkels beobachtet hatte, der, wenn er seinen Pansen bekam, den mechanisch in sich hineinschlang. Störte man ihn, knurrte er kurz, zeigte die Zähne, dann fraß er sofort weiter.

Lustlos hatte sie für ihren Mann gekocht und lustlos für sich, und, wenn sie ehrlich war, auch für die Kinder, als ihr Mann aus dem Haus war. Aber dann, sonderbarerweise, als alles fehlte, andere die Lust am Kochen verloren, weil es kaum noch Zutaten gab, da erst bekam sie Lust am Kochen. Es machte ihr Spaß, mit nur wenigem auszukommen. Sie versuchte sich in Geschmacksübertragungen. Probierte Gerichte aus, die sie früher, als es noch alle Zutaten gab, nie gekocht hätte. Aus wenigem viel machen, sagte sie, aus der Erinnerung kochen. Man kannte den Geschmack, aber es gab die Zutaten nicht mehr, das war es, die Erinnerung an das Entbehrte, sie suchte nach einem Wort, das diesen Geschmack hätte beschreiben können: ein Erinnerungs-Geschmack.

Sie tranken den Wein und zwischendurch, weil er so süß wie Likör war, immer wieder einen klaren Birnenschnaps. Kopfschmerzen werden wir bekommen, sagte sie. Aber das ist heute egal. Ja, sagte er, morgen ist morgen. Wenn ich Kopfschmerzen kriege, ist es ganz egal, auch den englischen Panzern wird es egal sein.

Einen Moment lang wußte sie nicht, was sie darauf sagen sollte. Nichts, da ist nichts zu sagen, sagte sie sich, ich müßte ihn einfach in die Arme nehmen.

Sie erzählte, jetzt dürfe im Rundfunk der Schlager: *Es geht alles vorüber, es geht alles vorbei,* nicht mehr gespielt werden. Und warum? Jeder kennt den neuen Text: Es geht alles kopfüber, es geht alles entzwei, erst fliegt Adolf Hitler, dann seine Partei.

Es war warm in der Küche, nicht so warm, daß sie sich die Kostümjacke ausziehen mußte, aber sie glühte. Sie saß in der Bluse am Küchentisch, und Bremer wird von nahem gesehen haben, was ich auf den Fotos sehen konnte: ihren runden Busen. Sie goß ihm noch einen Birnenschnaps ein. Der Kollege brannte diesen Schnaps in seinem Schrebergarten, heimlich. Die Birnen sammelt er in einer Tonne. In der sonst so stillen Nacht schoß die Achtkommaacht-Flak vom Bunker auf dem Heiligengeistfeld, eins, zwei, Lena Brücker zählte mit, drei, vier, fünfmal. Das war das Signal für den Fliegeralarm, seit es keinen Strom mehr gab. Sollen wir in den Keller?

Nein, sagte er.

Sie stand auf – nach einem kurzen Zögern –, da war sie schon aufgestanden, hatte den ersten Schritt gemacht und sagte sich, was, wenn er nicht will, wenn er jetzt erschrickt, wenn er abrückt, oder aber nur das Gesicht verzieht, ein wenig, ein Zucken nur, dann, ja, was dann? Sie ging zu ihm, setzte sich neben ihn auf das Sofa. Sie stießen mit dem Rest des Madeiraweins an. Hoffentlich wird mir nicht schlecht, dachte sie, hoffentlich muß ich mich nicht übergeben. Seine Wangen, rotfleckig, brannten, aber vielleicht waren es auch nur ihre. Von fern hörte sie die Abschüsse der Flak. Keine Bomben fielen. Wenn du magst, sagte sie, kannst du bleiben. Und später in dem kalten Schlafzimmer, in dem weißen klobigen Ehebett, in dem sie fünf Jahre allein gelegen hatte, sagte sie, du kannst, wenn du willst, auch ganz hier bleiben. Und dieses »ganz« sprach sie so beiläufig wie selbstverständlich aus. Ein ungenaues Wort, und doch – das wußte sie – war es ein Wort, das über sie beide entscheiden würde.

Er lag auf ihrem Kopfkissen, den Arm unter dem Kopf, und sie sah das Aufglühen seiner Zigarette. Kommt Besuch? Manchmal. Aber niemand, dem ich öffnen muß. Is eine Endwohnung. Nach oben kommt kaum einer. Und wenn, kannste in die Kammer gehen. Ich schließ von außen ab. Kurz leuchtete sein Gesicht auf. Von fern waren noch immer die Abschüsse der Flak zu hören. Sie bombten nicht mehr auf die Elbbrücken, die Brücken, die sie in den vergangenen Jahren zu zerstören versucht hatten. Jetzt wollten sie die Brücken möglichst unversehrt einnehmen. Sie bombten auf die U-Boote im Hafen. Erst da merkte sie, daß er eingeschlafen war. Die brennende Zigarette zwischen den Fingern. Vorsichtig nahm sie die aus den Fingern und drückte sie aus. Sie lag neben ihm und sah ihn an, schattenhaft, hörte seinen Atem, gleichmäßig, vorsichtig strich sie ihm über seinen Oberarm, die Rundung, dort, wo der Arm in die Schulter überging.

Um 4 Uhr klingelte der Wecker. Er sprang sofort aus dem Bett. Sie hörte, wie er zur Toilette ging, pinkelte, sich wusch. Er kam zurück. Sie lag, mit dem Arm aufgestützt, im Bett und beobachtete, wie er sich, ohne etwas zu sagen, ohne zu ihr hinüberzublicken, die graue Unterhose anzog, das Unterhemd, das Hemd, dann die blaue Hose. Er ging durch die Wohnung, als suche er etwas, öffnete die Türen, blickte in die Kammer, in die beiden großen Schränke, aus den Fenstern auf die dunkle Straße hinunter, von der man nur ein kurzes Stück sehen konnte. Das gegenüberliegende Haus war etwas niedriger. Er stand da, starrte in die Dunkelheit und dachte daran, wie sie ihn in den letzten beiden Tagen in das Panzerfaustschießen eingewiesen hatten. Ein Oberfeldwebel mit Ritterkreuz, am

Ärmel acht Fähnchen, also acht Panzer mit Hand geknackt. Eine Gruppe von Volkssturmmännern, zwei Militärmusiker, zwei Stabsgefreite, Schreiber von irgendwelchen Stäben, ein paar Marinesoldaten und viele Hitlerjungen. Kinderleicht, hatte der Oberfeldwebel gesagt, die Panzerfaust. Man muß nur ruhig bleiben, kaltblütig, die Panzer auf fünfzig Meter herankommen lassen, dann die Panzerfaust auf die Schulter, Objekt ins Visier nehmen, gut festhalten, Luft anhalten, abfeuern, aber aufpassen, daß keiner hinter euch steht, der wird sonst wie ein Hähnchen gebraten. Bremer hatte eine Panzerfaust auf eine Ruinenmauer abgeschossen. Das Geschoß explodierte in dem angegebenen Bereich, Ziegelbrocken spritzten herum. Gut, sagte der Ausbilder, der Panzer wäre jetzt Schrott. Nur daß Panzer nicht wie die Mauern in der Landschaft standen. Panzer fuhren. Es waren meist mehrere. Und sie schossen. Es waren, je näher sie einem kamen, dröhnende, riesige, ungeheure Stahlkolosse. Also mußte man lernen, ein Ein-Mann-Loch zu graben. Der Ausbilder zeigte, wie man ein solches Loch, das von den Panzerschützen nur schlecht gesehen werden konnte, aushob. Wie man sorgfältig Zeitungen um das Loch legte, die Erde daraufhäufte, um sie später wegzutragen. Dunkle, aufgeworfene Erde, auch nur ein kleiner Rest, verriet die Stellung des Schützen. Darauf konzentrierte sich sofort das Panzerfeuer. Und dahin fuhren die Panzer.

Erst später, nach der Instruktion, als die Hitlerjungen nach Hause gegangen waren, hatte der Ausbilder den Kameraden von der Marine erzählt, was passieren kann, wenn die Panzer kommen. Er hatte es bei seinem Freund erlebt, sagte er, trank von dem dänischen Aquavit, der aus einem freigegebenen Verpflegungslager stammte, dann, sagte er, sitzt man in diesem kleinen Loch, und der Panzer fährt über das Loch und dreht mal mit der rechten, mal mit der linken Kette und gräbt sich so ein, dann sitzt du in deinem selbstgebuddelten Grab, siehst den Stahl näher kommen. So. Prost, sagte er, auf diesen stählernen Himmel.

Komm, sagte sie, als er zurückkam, und streckte ihm die Hand entgegen. Bremer zog sich Hose, Hemd und Unterhemd aus, ergriff die hingestreckte Hand und stieg in das schaukelnde Bett. So wurde er, Hermann Bremer, ein Bootsmann, fahnenflüchtig.

2

Was dachte Hermann Bremer, als er wieder zu Lena Brücker ins Bett stieg? Hatte er Angst? Gewissensbisse? Zweifel? Dachte er, ich bin ein Verräter, ein Kameradenschwein? Mit jedem Kreisen des Sekundenzeigers auf dem Leuchtziffernblatt seiner Uhr entfernte er sich, den Kopf auf Lena Brückers Schulter gebettet, weiter von der Truppe, ließ Kameraden im Stich, die jetzt auf Lkws stiegen, die Motoren wurden angelassen, ein Rütteln, der Gestank nach Dieselqualm, auf der Ladefläche hockten sie, warteten. Der Oberleutnant blickte – wie Bremer – auf die Uhr, etwas draufwarten noch, die Soldaten saßen da, stumm, einige rauchten, einige schliefen, die Feldplanen über den Kopf gezogen: Volkssturmmänner, Marinesoldaten, die beiden Militärmusiker, kalt war es, und noch immer fiel Regen. Der Oberleutnant hob den Arm in die Luft, stieg in den ersten Laster. Die vier Laster fuhren an, Richtung Elbbrücken, Harburg, Buchholz. Dort hatten Kinder, Frauen und alte Männer schon Schützengräben ausgehoben, Schützengräben, die ich ein paar Jahre später als Kind zusammen mit anderen Kindern absuchte. Wir hoben mit einem Spaten etwas von dem von den Rändern in den Graben gestürzten Erdreich heraus und fanden verbeulte Kochgeschirre, Feldflaschen, verrostete Stahlhelme, Patronen, Seitengewehre, hin und wieder auch einen Karabiner. Georg Hüller fand sogar einmal ein MG 42, die Hitlersäge, und ein andermal ein bis auf den silbernen Rand verrostetes Eisernes Kreuz. Daran hingen keine Uniformreste, es fand sich auch keine Spur von einem Skelett. Der Orden lag zwischen verrosteten Koppelschnallen, Karabinerhaken, Gasmasken, Patronen und Feldflaschen, aus denen noch eine bräunliche, an Tee erinnernde Flüssigkeit tropfte. Abfall eines zu Ende gehenden Krieges. An dieser wie auch an anderen Linien sollte es nicht mehr zum Endkampf kommen, ein Geplänkel, ein, zwei Scharmützel nur, dann zogen sich die Deutschen, die längst keine Einheiten mehr waren, zurück.

Das konnte Bremer aber nicht wissen. Bremer hatte Angst; er hatte Angst, bei Lena Brücker zu bleiben, und er hatte Angst, an die Front zu gehen. Er hatte diese Wahl: zu desertieren und dann möglicherweise wegen Fahnenflucht von den eigenen Leuten an die Wand gestellt zu werden oder an die Front zu gehen und dann von einem englischen Panzer zerfetzt zu werden. Bei beiden Alternativen zählte eben nur dies: heil durchzukommen. Aber welche bot die größeren Chancen? Das war die Frage, und die Suche nach Antwort brachte ein unruhiges Hin- und Herwälzen im Kopf wie im Bett.

Als er vor zwei Wochen seinen bewilligten Urlaub in Braunschweig beendet hatte und nach Kiel zurückgefahren war, war er ausgerechnet in Plön hängengeblieben. Hatte sich dort bei der Kommandantur gemeldet, seine Marschpapiere gezeigt. Für das Überleben im Krieg, gerade in seiner Endphase, in der sich alles auflöste, wurde die Wahrung bürokratischer Formen immer wichtiger. Es war notwendig, nachzuweisen, wo man sich wann, wie und wohin bewegte, um nicht vor irgendein Fliegendes

Standgericht zu kommen. Ihm wurde ein Quartier in der Turnhalle einer Schule zugewiesen, in der ein Divisionsstab untergebracht war. Frühmorgens war er von Gebrüll wach geworden, Kommandos, genagelte Stiefel marschierten über den Korridor. Er hatte sein Rasierzeug genommen und war auf den Korridor gegangen. Dieser Schulgeruch war ihm widerwärtig, ein Geruch nach Bohnerwachs, Schweiß und Schülerangst. Auf dem Korridor kamen ihm drei Soldaten entgegen, zwei trugen Gewehre, der in der Mitte, ein noch junger Mann, vielleicht achtzehn oder neunzehn, hielt die Hände auf dem Rücken, und – das fiel Bremer sogleich auf – der Mann hatte die Uniform nicht richtig zugeknöpft, und er hatte einen Strohhalm im ungekämmten Haar. Die drei kamen auf ihn zu, keiner der drei, alles einfache Soldaten, machte Anstalten, vor ihm, dem Bootsmann, immerhin der Rang eines Feldwebels, beiseite zu treten, so daß er gezwungen war, sich an die Wand zu drücken, um sie vorbeigehen zu lassen. Der Mann, nein, der Junge in der Mitte blickte beim Gehen vor sich auf den Boden, als suche er etwas, auf der Höhe Bremers hob er den Kopf und blickte zu ihm, ein Blick nur, nicht ängstlich, nicht entsetzt, nein, ein Blick, der ihn, Bremer, regelrecht einzusaugen schien, dann senkte der Junge seine Augen wieder, als müsse er darauf achten, nicht zu stolpern. Die Hände waren auf dem Rücken mit Handschellen gefesselt. Während Bremer sich unter einem für ihn viel zu niedrigen, weil für Kinder bestimmten Wasserhahn wusch, dachte er, das wird jetzt ausgelöscht, was der Blick festgehalten hat – also auch ich. Später, auf dem Abtritt hockend, hörte er die Salve.

In seinem Kopf, der auf der weichen Schulter von Lena Brücker lag, bewegte er die Fragen: Liegen bleiben oder aufstehen? Sollte er nicht versuchen, im letzten, im allerletzten Augenblick loszulaufen, nicht, weil er an seinen Fahneneid dachte, weil er es für unwürdig hielt, sich einfach zu verdrücken, sondern weil er seine Überlebenschancen abwog, hier zu bleiben und abzuwarten, bis der Krieg zu Ende war, oder sich in der Landschaft, irgendwo in der Lüneburger Heide, seitwärts in die Büsche zu schlagen, sich dann vom Engländer gefangennehmen zu lassen, was, wie er gehört hatte, weit schwerer war, als man vermuten sollte. Man tritt von einem Ordnungssystem in ein anderes, feindliches, über. Das führte leicht zu Mißverständnissen, tödlichen. Oder sollte er hier das Kriegsende abwarten, auf die Gefahr hin, entdeckt und erschossen zu werden? Zumal er von jetzt an auf Gedeih und Verderb von dieser Frau, die er erst seit ein paar Stunden kannte, abhing.

Gegen Mittag wachte er von einem ziehenden Schmerz im Kopf auf. Er wusch sich in der Toilette über dem Waschbecken, hielt den Kopf lange unter das kalte Wasser. Er zog sich die Uniform an. Im Spiegel sah er sich, das Band vom EK II, das Narvikschild und das silberne Reiterabzeichen. Er dachte, das könne ihm, falls er jetzt entdeckt würde, auch nicht mehr helfen. Er hatte etwas Endgültiges getan, das heißt, genaugenommen hatte er nichts getan. Ich bin in eine Richtung gegangen, und ich kann nicht mehr umkehren in dieser Dachwohnung. Die würde er erst verlassen können, wenn die Engländer die Stadt eingenommen hätten. Am Küchenfenster stehend blickte er durch die Gardine hinunter. Eine stille, schmale Straße ohne jedes Grün lag da unten, und, diese kreuzend, ein Gang. Hin und wieder sah er unten Frauen vorbeigehen, die Eimer trugen, leer, wenn sie die Straße hinuntergingen, kamen die Frauen zurück, schwappte Wasser aus den Eimern. In der Straße mußte es also einen Hydranten geben. Einmal ging ein älterer Soldat über die Straße, ein Landwehrmann, mit Gamaschen über den Schnürstiefeln, am Koppel hing der Brotbeutel, die Feldflasche, wie der latschte, krumm, plattfüßig und auch noch über den großen Onkel. Auf dem Rücken trug er einen altertümlichen Karabiner, wenn Bremer es recht erkannte, einen polnischen Beutekarabiner. Ein Hauptmann kam ihm entgegen, und die beiden trafen sich ziemlich genau auf der Mitte der Straße. Der Landwehrmann hob nur kurz die Hand, nicht mal zur Mütze, eine lasche Geste, die nur andeutete, was sie sein sollte, ein militärischer Gruß. Und der Hauptmann, in einem langen grauen Mantel, knapp auf Taille geschnitten, wahrscheinlich von einem Uniformschneider genäht, stauchte den Mann nicht zusammen, sagte nicht: Mann, nehmen Sie gefälligst die Knochen hoch, die flache Hand wird an den Mützenrand geführt, den sie leicht berührt, und zwar soll die Handkante in einem Winkel von 70 Grad und so weiter, nein, der Hauptmann ging vorbei und nickte nur. In der Rechten aber hatte er ein Einkaufsnetz, darin Kartoffeln. Ein Hauptmann, der auf der Straße ein Einkaufsnetz mit Kartoffeln trug – kein Zweifel: Der Krieg war verloren.

Wie still die Stadt war. Manchmal hörte er Stimmen. Kinder, die spielten. Und hin und wieder, fern, Geschützfeuer. Dort, im Südwesten, war die Front. Dann entdeckte er die Frau. Sie stand unten in einem Hauseingang, eine junge Frau, in einem braunen Mantel. Auffallend an ihr waren die hellen Seidenstrümpfe, die man im sechsten Kriegsjahr nur noch selten zu sehen bekam. Fleischfarbene Seidenstrümpfe. Bremer ging durch die Wohnung, sah sich den Wohnzimmerschrank an, Birke, poliert, der Mittelteil: bräunliche Glasscheiben, in Blei gefaßt. Im Schrank standen einige farbige Weingläser, geschliffen, burgunderrot. Ein Tisch mit dunkelgebeizten Stühlen. Die Möbel hätten auch in irgendeiner großen teuren Wohnung stehen können. In einem hölzernen Zeitschriftenständer lagen mehrere Illustrierte. Er blätterte sie durch, sah Fotos von Ereignissen, die Monate, Jahre zurücklagen. Panzer vor Moskau. Kapitänleutnant Prien mit Ritterkreuz am Hals. Sauerbruch besucht ein Kriegslazarett. Bremer fand Kreuzworträtsel und begann, eines zu lösen. Zwischendurch stand er immer wieder auf und sah hinunter auf die Straße. Die Frau stand noch dort. Kinder liefen vorbei, und immer wieder Frauen mit Wassereimern, leeren wie vollen. Hin und wieder mal ein Mann, einmal ein Gefreiter auf einem Fahrrad, wahrscheinlich ein Melder. Nach gut einer Stunde ging die Frau weg. Eine alte und eine junge Frau schoben eine Schottsche Karre, darauf lag zerborstenes Trümmerholz. Bremer las einen Bericht über das Afrikakorps. Die Illustrierte war drei Jahre alt. Ein Bericht aus einer fernen Welt. Deutsche Soldaten brieten sich in der afrikanischen Sonne auf dem Stahlblech ihrer Panzer Spiegeleier. Ein Foto zeigte unter Palmen den General Rommel. Deutsche Truppen auf dem Vormarsch zum Suez-Kanal. John Bull angeschlagen, lautete eine Unterschrift. Ein verwundeter englischer Soldat, den ein deutscher Sanitäter verbindet. Im Hintergrund ein abgeschossener Panzer, aus dessen Luk dunkler Qualm dringt. Jetzt steht John Bull an der Elbe, dachte Bremer.

Er hörte ein Motorgeräusch und lief zum Fenster. Unten fuhr im Schrittempo ein Kübelwagen vorbei. In dem Wagen saßen drei SS-Soldaten. Der Wagen hielt. Der Fahrer winkte eine Frau heran und sprach sie an. Die Frau zeigte mal dahin und mal dorthin. Und dann in die Richtung auf das Haus, in dessen oberstem Stock, hinter dem Fenster, er stand. Der Kübelwagen setzte langsam zurück. Es war der Augenblick, von dem Bremer später Lena Brücker erzählte, daß er vor Schreck beinahe zur Wohnung hinausgestürzt wäre. Sich dann aber entsetzt gefragt habe, ob es einen Hinterausgang im Haus gäbe, womöglich stiegen die SS-Leute schon die Treppe hoch, während er hinunterrannte. So sei er auf die verrückte Idee gekommen, auf den Dachboden zu fliehen, um dort aus einer Luke auf das Dach zu steigen, sich auf der Regenrinne stehend an die Dachschräge anzuschmiegen. Und zu all diesen hektischen Überlegungen, die ihm durch den Kopf schossen, sei noch eine andere gekommen, ein Verdacht, der allerverrückteste, der sich aber erst jetzt, wo sie da sei, als so verrückt erwiesen habe, genaugenommen sei es ja der naheliegendste gewesen, sagte er, daß sie nämlich ihn bei der Polizei angezeigt habe, aus Angst, aus Todesangst, denn wer Deserteure versteckte, wurde erschossen oder gehenkt. Oder, sagte Bremer, er habe gedacht, jemand hätte ihn gestern nacht beobachtet, als er mit ihr hinaufgegangen sei, jemand, der nicht habe schlafen können und wie er vorhin aus dem Fenster geguckt habe. Er hatte dabei eine Frau vor Augen, wie sie am Fenster stand und in die nächtliche Straße starrte, er sah sich, wie er mit Lena unter der Plane kommend das Haus betrat. Er lauschte an der Wohnungstür. Die Treppen im Haus knackten unter tastenden Schritten. Nein, im Treppenhaus war alles still. Nur von unten, sehr fern, waren ein paar Stimmen zu hören. So stand er eine lange Zeit, und als sich nichts rührte, nichts zu hören war, wurde er ruhiger und konnte sich selbst beruhigen mit dem Gedanken, es sei ein Zufall gewesen, der die Frau in die Richtung dieses Hauses zeigen ließ. Er ging wieder zum Küchenfenster. Hin und wieder sah er die Frauen und Kinder mit den Eimern, Fußgänger. Und von fern, von der Wexstraße her, hörte er das Motorgeräusch von einem Wehrmachtslaster.

Einem solchen Laster hatte frühmorgens Lena Brücker gewinkt. Der Wagen hielt, zwei Luftwaffensoldaten saßen in der Fahrerkabine, zwischen ihnen eine Frau. Wohin? Eimsbüttel. Immer rin inne gute Stube, sagte der Fahrer. Lena Brücker stieg ein. Kaum war der Laster angefahren, begann ein tastendes Wirrwarr der Hände, der Beifahrer, ein Gefreiter, knutschte mit der Frau, und seine Hand verschwand unter dem Rock der Frau, deren Rechte etwas mechanisch den Oberschenkel des Gefreiten streichelte, dieses gräßlich kratziggraue Uniformtuch, während die Linke der Frau in dem offenen Hosenschlitz des Fahrers verschwand, der, wenn er nicht hin und wieder schalten mußte, sich mit seiner Rechten ebenfalls unter dem Rock zu schaffen machte, und als der Gefreite mit seiner rechten Hand, ohne hinzusehen, nach Lena

Brückers Knie tastete, hielt sie die am Handgelenk fest und sagte: Ich möchte nicht. Auf einmal hielten die drei inne, einen Augenblick nur, lächelnd und durchaus verständnisvoll, keineswegs böse oder vorwurfsvoll, sahen der Beifahrer und die Frau Lena Brücker an, um sich dann wieder einander zuzuwenden. Ein glucksendes Lachen, ein Schnaufen, Quieken. Dachte immer, hoffentlich rammt der nicht eine Laterne, fuhr langsam, aber doch ziemlich ruckartig. Machte sogar einen Umweg und setzte mich wie n Taxi vor der Behörde ab.

Frau Brücker lachte, ließ einen Augenblick das Strickzeug im Schoß ruhen.

Tja, sagte sie, ich war, was das anging, nicht prüde, aber immer krüsch. Hat nicht an Angeboten gefehlt. Aber mal, sagte Frau Brücker, waren die Kerle so plump und direkt, grapschten gleich, oder sie rochen, wie ich es nicht mag, damals rochen die Männer noch stärker, Tatsache, nach billigem Tabak, kaltem Essen und Talg, gab ja auch wenig Seife. Oder die sahen einen mit so nem Blick wie Nachbars Lumpi an. Ich war ja frei. Der Mann weg. Mußte niemanden fragen, auf niemanden Rücksicht nehmen, nur auf mich. Aber nur einmal in den sechs Jahren war ich mit einem Mann zusammen. Silvester 43 war das. Da hatten sich einige aus der Behörde zusammengetan, viele Frauen, auch die paar Männer, die freigestellt waren. Sie hatte lange mit einem Mann getanzt, der für die Mehlzuteilung zuständig war. Ein guter Tänzer, der rechts und links walzen konnte, sie, auch wenn ihr schon ein wenig schwindlig war, fest und sicher hielt, sie konnte sich weit nach hinten zurücklehnen, den Kopf in den

Nacken fallen lassen. Bis der Mann nicht mehr konnte und schnaufte. Um zwölf Uhr stießen alle an, und jemand rief: Auf ein glückliches, auf ein friedliches neues Jahr. Sie hatte danach noch mehrmals mit dem Mann getanzt, eng und langsam, obwohl sie lieber so richtig schnell getanzt hätte. Aber der konnte nicht mehr, hatte Asthma. Und dann war sie mit ihm in seine Wohnung gegangen, ein kleines Behelfsheim. Er war ausgebombt worden, die Frau hatte man mit den vier Kindern nach Ostpreußen evakuiert. Er bewohnte ein Zimmer, darin ein durchgelegenes Ehebett.

Ihr war danach schlecht, nicht etwa vor Selbstekel, dazu gab es keinen Anlaß, der Mann war ein freundlicher, schüchterner Asthmatiker. Sie hatte ihn schon früher in der Kantine beobachtet. An schwülen Sommertagen trank er viel Wasser, und manchmal pumpte er sich mit einem kleinen Gummiball Luft in den Mund. Nachts war sie aufgewacht und fand den Mann schwer atmend, schnarchend, neben sich. Sie war auf eine grundsätzliche Art nüchtern. Neben ihr lag ein ächzender fremder Körper. Sie war aufgestanden und leise hinausgegangen und dann zu Fuß durch die Nacht von Ochsenzoll nach Hause gelaufen, eine Strecke von drei Stunden. Ein notwendig langer, weil sie erschöpfender Weg, der langsam auch das Geschehene in die Ferne rückte. So als hätte sie mit sich selbst einen Versuch angestellt, dessen Ergebnis Unzufriedenheit hinterließ. Das konnte sie gelassen denken, peinigend hingegen war der Gedanke an den ersten Arbeitstag im neuen Jahr, dann, wenn sie den Mann wiedersehen würde. Der erste Blick von ihm, der war denn auch so, wie sie es erwartet hatte: bedeutungsschwanger, eine aufdringliche Einvernehmlichkeit, eine dödelige Vertraulichkeit.

Sie hatte sich Mühe gegeben, nicht aggressiv auf den Mann zu reagieren. Sie war ihm gezielt aus dem Weg gegangen, hatte dafür gesorgt, daß immer andere Freunde und Bekannte in der Nähe waren, wenn sie ihm nicht mehr ausweichen konnte, ein kompliziertes Geflecht des Fragens, Herbeirufens, Nachfragens, während er danebenstand und sie ansah, erwartungsvoll, nein, vorwurfsvoll traurig. Bis er sie einmal allein abpaßte auf der Straße und sie fragte, was denn sei. Was er falsch gemacht habe. Nichts. Es war doch alles sehr schön, oder?

Ja doch, sagte sie, und so soll es bleiben.

Nein, es war nicht schön, sagte Frau Brücker. Oder, einen Moment ist es ganz schön. Aber davor und danach stimmts nicht. War ja ganz frei, und doch wars wie ein Seitensprung, sozusagen vor mir selber. Vielleicht hätte ich es öfter gemacht, wenn die Männer danach verschwunden wären, einfach vom Boden verschluckt worden wären. So aber war, wenn man sie traf, jede Bewegung, jeder Geruch, jeder Blick auch eine Erinnerung daran, was man nicht an ihnen mochte.

Und Bremer?

Bei dem Bremer nicht. Er hat mir gleich gefallen. Warum gefällt einem einer? Ich meine, bevor einer den Mund aufmacht. Sofort. Nicht durch dieses lahme Sichnäherkommen. Wenn ich das schon hör. Liebe aus Vertrautheit. Alles Quatsch. Langweilig. Mit Bremer wars anders, ganz anders.

Hugo kam ins Zimmer, der Zivi mit Pferdeschwanz und goldenem Ring im Ohr, weiße Kitteljacke, schob einen kleinen Karren. Die Gummiräder quietschten auf dem grauen Kunststoffbelag. Auf der emaillierten Platte des Wagens standen Dosen, Schachteln und Fläschchen mit Salben, Tabletten, Säften.

Ah, das Altenfutter kommt, sagte Frau Brücker.

Hugo schüttete ihr drei rosa Pillen in die aufgehaltene Hand, ging in die Kochnische und holte ein Glas Wasser. Mit Hugos Hilfe halt ich mich hier, sagte sie, die wollen mich in die Pflegeabteilung abschieben. Aber ich sag immer: Ohne Herd is der Mensch nix wert. Wollte dem Hugo mal ne Currywurst machen, aber der ißt natürlich lieber Döner. Nee, sagte Hugo, wenn schon was von der Faust, dann ne Pizza.

Hugo nahm das Pullovervorderteil in die Hand: Hellbraun war der Grund, in einem Tal sammelte sich etwas Blau des Himmels, und der dunkelbraune Stamm einer Tanne strebte rechts hoch ins Blau. Klasse, sagte er, stimmt genau, wenn jetzt mehr Himmel kommt und darin die Äste der Tanne. Ich guck später noch mal rein.

Hatten Sie den Curry in der Kantine? fragte ich, um sie wieder auf die Spur zu bringen.

Curry, nee, gabs doch nicht. War doch Krieg. Nee, so einfach war das nicht. Sie nahm das Strickzeug, tastete sich an den Rand, zählte die Maschen, stumm, dann ein Murmeln, 38, 39, 40, 41. Sie begann zu stricken. An dem Tag hab ich nur darauf gewartet, wieder nach Hause zu kommen. Ich zog mir den Kittel an, ging in die Kantinenküche. Holzinger wartete schon. Wir müssen heute Fisch machen, sagte er. Der Gauredner kommt auf Besuch. Will eine Durchhalterede ablassen. Holzinger hatte im *Erzherzog Johann* jahrelang als zweiter Saucenkoch gearbeitet. Und später als erster Saucenkoch auf dem Passagierschiff *Bremen.* Er muß ein begnadeter Koch gewesen sein, der heute sicherlich ein Zwei-Sterne-Restaurant betreiben würde. Holzinger wurde bei Kriegsbeginn in die Rundfunkkantine des Reichssenders Königsberg dienstverpflichtet. Der Geist braucht, hatte Goebbels gesagt, erstklassige Menus, sonst ist er einfallslos, krittelnd. Ein leerer Magen vertieft jeden Zweifel. Blähungen, Sodbrennen verstärken jeden Schatten ins Rabenschwarze. Darum müssen in den zentralen Propagandastellen gute Köche arbeiten. Kein Berufsstand ist durch gutes Essen so bestechlich wie die Arbeiter der Stirn.

Holzinger übernahm die Kantine des Reichssenders. Wenige Monate später litten mehrere Rundfunksprecher und Redakteure unter Brechdurchfall, auffälligerweise immer dann, wenn es galt, militärische Siege zu melden. Der Sieg über Frankreich wurde gefeiert, es wurde geflaggt, Marschmusik gespielt, Blumen wurden auf die Siegesallee in Berlin gestreut, der Führer nahm mit seinen kornblumenblauen Augen die Parade ab, aber der Kommentator des Reichssenders in Königsberg kniete in der Toilette und kotzte. Da das gleiche schon bei den Meldungen der Siege über Dänemark und Norwegen vorgekommen war und sich dann bei der Eroberung Kretas und Tobruks wiederholte, richtete sich der Verdacht gegen Holzinger. Niemand hatte je ein kritisches Wort aus seinem Mund gehört, was aber den Verdacht auf eine besondere Heimtücke noch verstärkte. Es gibt – ich habe sie mir vorspielen lassen – eine mitgeschnittene Radioaufnahme, in der ein Sprecher bei den Worten *unsere siegreichen Fallschirmjäger* zu würgen beginnt, nach *Kreta* kommt ein akustisches Loch, das Mikrophon wird vom Sprecher kurz abgeschaltet, dann folgt ein gerülpstes *erobert,* das in Kotzgeräusche mündet. Aus.

Holzinger wurde, nachdem die Besteigung des Elbrus durch siegreiche deutsche Gebirgsjäger gemeldet werden sollte, der zuständige Radiosprecher sich aber unter Magenkrämpfen auf dem Redaktionssofa wand, zur Gestapodienststelle befohlen. Er verwies auf die ihm gelieferten Lebensmittel. Salat könne er schließlich nicht keimfrei kochen, auch nicht die Buttermilch. Zudem das Wasser. Da sind, hatte Holzinger geantwortet, viele Fälle von Brechdurchfall in der Stadt. Er habe selber zusammen mit dem Sprecher unter Magenkrämpfen gelitten. Das überzeugte den Gestapobeamten. Holzinger wurde zurückgeschickt. Sollte erst einmal im Quartier bleiben und mußte sich verpflichten, über die Vernehmung zu schweigen. Er wurde von dem Sender entlassen und zur Lebensmittelbehörde in Hamburg versetzt. Niemand, auch Holzinger selbst nicht, konnte sagen, warum man ihn gerade nach Hamburg versetzt hatte.

Drei Wochen nach Holzingers Arbeitsbeginn wurde Frau Brücker zu der Dienststelle befohlen. Ein Gestapobeamter sagte, sie sei als Leiterin der Kantine vorgeschlagen worden. Er befragte sie, ob ihr etwas an Holzinger aufgefallen sei, ob er sich abfällig über die Partei geäußert habe, über den Führer? Nein, nichts dergleichen. Ob das Essen schmecke? Er ist ein Zauberer, hatte Lena Brücker gesagt, er macht aus fast nichts etwas und etwas Ausgezeichnetes aus etwas. Und wie? Sein Geheimnis ist, wie er würzt. Der Beamte, ein junger, freundlich-ruhiger Mann, nagte gedankenverloren an seiner Unterlippe. Sie solle Bescheid sagen, wenn Holzinger defätistische Äußerungen mache. Ob sie Pg. sei? Nein. Hmm. Der Mann verpflichtete sie zum Schweigen. Damit war sie entlassen. Sie hatte Holzinger gesagt, daß sie über ihn befragt worden sei. Seitdem bestellte sie jedesmal Fisch, wenn, wie heute, Gauredner Grün kam. Der Vater von Grün hatte einen Fischladen, und Grün hatte mehrmals betont, daß ihm, wenn er Fisch auch nur rieche, übel werde. Als Junge habe er nämlich Fische aus dem Frischwasserbottich keschen, dann mit einem Schlag auf den Kopf betäuben, aufschlitzen und ausnehmen müssen.

Lena Brücker telefonierte mit der Fischhalle, die sagten, nicht ein einziger Fisch sei angelandet worden. Es komme kein Fischdampfer mehr die Elbe hoch, weil drüben, am anderen Ufer, schon der Tommy sitze. Sie rief bei der Freibank an, und die hatten mehrere Kilogramm Pansen. Gestern nacht seien Bomben in Langenhorn gefallen, eine direkt neben einen Bauernhof, eine Luftmine. Der Stall sei stehengeblieben, aber Fenster und Türen waren raus. Alle Kühe lagen tot da, ganz und hübsch appetitlich. Nur die Lungen waren ihnen aus dem Leib gerissen worden.

Pansen, wir können zwanzig Kilo Pansen bekommen.

Sehr gut, sagte Holzinger, wir machen Kutteln. Kartoffeln haben wir ja gebunkert.

Lena Brücker deckte die Tische der leitenden Herren. Das machte sie persönlich. Sogar Papierservietten gab es noch. Vor einem halben Jahr war eine Lieferung für die nächsten 1000 Jahre eingegangen. Die Servietten wurden auch als Toilettenpapier benutzt.

Mittags versammelten sich alle Angestellten der Lebensmittelbehörde in der Kantine. Gauredner Grün, der in seiner braunen Uniform käsiggrau wirkte, kam mit dem Betriebsführer Dr. Fröhlich, auch er in brauner Parteiuniform, weichfallenden braunen Langschäftern, gestärktem hellbraunem Hemd, goldenen Manschettenknöpfen, makellos. Gauredner Grün beschönigte nichts. Er verglich die europäische Kultur mit dem jüdisch-bolschewistischen Ungeist. Hier das Ganzheitsdenken, dort das Teilen, Zersetzen, Kritisieren. Positiv, negativ. Also: Zuversicht und Mut bestimmend für das deutsche Denken. Hingegen Wankelmut, Kritisiererei, Defätismus etwas Jüdisches. Dann kamen aus dem Mund von Grün Vergleiche: Leningrad und Hamburg, Moskau und Berlin. Da horchten alle auf, ja, er sprach es offen aus: Der Russe schien damals schon am Ende, aber dann hatte er Leningrad verteidigt, eingeschlossen, drei Jahre, festgekrallt hatte der Russe die Stadt verteidigt und aus der größten Niederlage einen Sieg gemacht. So auch wir jetzt. Grün gewann den Endsieg, indem er zeigte, wer am Boden liegt, wenn es denn der heimatliche ist, kann ihn weit besser verteidigen, weil er ihn kennt. So wird Hamburg verteidigt, Straße um Straße, Haus um Haus. Jeder, der sich drückt, der sich feige beiseite schleicht, ist ein Volksverräter, abstoßend, ein Krankheitsherd, der auszubrennen ist. Der gemeinsame Wille. Der Engländer wird sich wundern über diesen fanatischen Widerstand, der ihm entgegenschlägt. Und dafür ist wichtig, daß auch diese Behörde, zuständig für die Verteilung der Lebensmittel, mithilft, daß jeder Volksgenosse seinen gerechten Anteil bekommt, also Kraft, Kraft für den Endsieg: das sind die Lebensmittelmarken. Und dann zitierte Grün Hölderlin, nicht für Lena Brücker, die ja nur die Kantine organisierte, Zuteilungen mit Marken abrechnete, den Abwasch kontrollierte, die Tische der leitenden Herren deckte, sondern er zitierte Hölderlin speziell für all die Abteilungsleiter, Wirtschaftsexperten, Juristen, Volkswirte. Damit ihr Sinn getragen, dem Ernst der Lage entsprechend, noch fester werde. Sieg Heil!

Gauredner Grün setzte sich, wischte sich den Schweiß von der Stirn. Dr. Fröhlich stand auf und versprach, diese Behörde werde ihre Pflicht bis zum Endsieg tun, nämlich die Bevölkerung mit Lebensmitteln zu versorgen, und wenn nötig, würde man die Behörde auch mit der Waffe in der Hand verteidigen. Er setzte sich zu Grün und den anderen leitenden Volksgenossen an den Kantinentisch. Lena Brücker bediente die Herren. Gauredner Grün sagte, er müsse nachher gleich weiter, müsse reden, in einer halben Stunde, vor der Belegschaft der Batteriefabrik HABAFA. Alle müßten arbeiten für den Sieg, eine letzte, eine allerletzte Anstrengung.

Nimm heute auf keinen Fall etwas von der Terrine vom Vorstandstisch, hatte Holzinger gesagt, ich möchte den Kollegen von der Batteriefabrik eine Rede ersparen. Es war das einzige Mal, daß Holzinger einen Hinweis auf seine Küchensabotage gab. Lena Brücker schöpfte die Kutteln dem Gauredner in den Teller und hörte: Halten, schon, aber natürlich kämpfen, panzerbrechende Waffen, klar, aber, wie das duftet, sagte er. Kutteln. Ahh, und Kümmel, ahh. So viele Ahhs, aber auch so viele Abers, sagte Frau Brücker, das fiel mir damals auf, die waren neu. Schnaps ist Schnaps, und Dienst ist Dienst, sagte ein Regierungsrat am Tisch. Aber wenn man das mehr miteinander verbunden hätte, wärs vielleicht nicht ganz so hart gekommen.

Gauredner Grün sprang unvermittelt auf und stürzte, die Hand vor dem Mund, hinaus. Dr. Fröhlich hastete würgend hinterher.

Bremer saß in seiner Marineuniform am Küchentisch und wartete. Es sah aus, als wolle er gleich aufstehen und hinausgehen. Wie im Wartesaal saß er da.

Er stand auf, ging auf sie zu, als käme sie von einer langen Reise zurück, umarmte sie, küßte sie, erst den Hals, das Kinn, die Stelle, die, das wußte er noch nicht, ihr eine Gänsehaut auf der jeweils gegenüberliegenden Schulter bewirkte, hinter dem rechten, dem linken Ohrläppchen. Er hatte sich frisch rasiert, wie sie spürte, die Zähne geputzt, wie sie roch, er hatte sich sorgfältig den Binder umgelegt, anders als ihr Mann, der sich nur, wenn er aus der Wohnung ging, die Krawatte umband und sie sich immer sofort aus dem Kragen riß, wenn er die Wohnung betrat. Er zog ihr den Mantel aus, begann das Kleid aufzuknöpfen, bis sie es sich – ungeduldig – mit einem Ruck über den Kopf zog.

Später, sie setzte in der Küche die Kartoffeln auf den Kanonenofen, las er aus der Zeitung vor, die nur noch aus einer Seite bestand: Breslau kämpft noch, Russen haben Berlin eingeschlossen, verlustreiche Straßenkämpfe, die deutschen Truppen haben sich aus taktischen Gründen nochmals zurückgezogen vor den englischen und amerikanischen Divisionen. Ein Posthilfsarbeiter war durch das Beil hingerichtet worden, weil er Feldpostpakete im Postamt gestohlen hatte.

Berichte von der Harburg-Front. Bei Vahrendorf war es zu einem Gefecht gekommen. Im Raum Ehestorf entwickelten sich im Vorfeld hartnäckig geführte Kämpfe. Der Feind erlitt wie immer hohe und blutige Ausfälle. Die eigenen Verluste waren natürlich gering.

Nichts stand da von der Gruppe Borowski. Borowski, dem eine Maschinengewehrgarbe ein Bein abgesägt hatte. Und nichts von den siebzehn Gefallenen in einem Trichter, in dem wahrscheinlich auch Bremer an diesem Morgen gelegen hätte, denn er war dieser Gruppe Borowski zugeteilt gewesen.

So aber konnte er sich eine Zigarette anzünden, die Lena Brücker ihm mitgebracht hatte. Er sagte: Tosca, lehnte sich im Sofa zurück, sagte, wie Weihnachten, und dabei haben wir schon Mai. Sie hatte auf ihre Bezugskarte ein Päckchen Overstolz bei Herrn Zwerg gekauft. Der hatte nicht schlecht gestaunt, denn sie hatte vor sechs Jahren mit dem Rauchen aufgehört und tauschte seitdem die Zigarettenmarken gegen Lebensmittel, und zwar mit meiner Tante Hilde.

Frau Brücker zählte kurz die Maschen nach. Deine Tante Hilde war ne starke Raucherin.

Ich könne mich noch gut daran erinnern, sagte ich, wie ich mit meinem Onkel Heinz, der ja nur mein Stiefonkel war, die erste Currywurst an ihrem Stand gegessen habe. Stimmt es, daß er die Herkunft von Kartoffeln schmecken konnte?

Sie murmelte wieder, hielt den Finger an genau die Stelle, wo der dunkelbraune Stamm der Tanne aus dem hellbraunen Boden wuchs, nahm den dunkelbraunen Faden, strickte sieben Maschen, dann nahm sie den hellbraunen Faden und sagte: Stimmt. Der Heinz stand zu der Zeit an der Ostfront, die in Mecklenburg verlief. Er war ein Kartoffelkenner, wie andere Leute Weinkenner sind. Er konnte die Herkunft der Kartoffeln schmecken. Und das Erstaunlichste, er schmeckte die Herkunft auch dann, wenn die Kartoffeln gekocht, gebraten, gemust waren. Er schmeckte sogar ihre Lage heraus, so wie andere Leute Weinlagen herausschmecken.

Er ließ sich die Augen verbinden: Diese Pellkartoffel kam aus der Glückstädter Wildnis. Dieses Kartoffelmus, das war einmal die berühmte Soltauer Granate, eine Kartoffel wie ein Findling, überschwer, fest, aber doch nie glasig, oder die Stramme Alma, fein-mehlig zerging sie auf der Zunge, eine Kartoffel, wie man sie nur im sandigen Heideboden finden konnte. Diese kleingeschnittenen Kartoffelwürfel in der Steckrübensuppe (mit gewürfelter Schweinebacke), das waren Bardowieker Trüffeln, eine kleine dunkelbraune Sorte, fester im Biß, mit einem Geschmack nach – ja, nach schwarzen Trüffeln. Und dann das unvergleichliche Bamberger Hörnchen. Bremer mochte das nicht glauben, und da sagte sie, warte ab, bis er wieder da ist.

Dieses *warte ab* führte zu einer Pause, zu einem sichtbaren Stutzen seinerseits. Es war ihr nur so rausgerutscht, das *warte ab,* verriet ihm aber, daß sie in die Zukunft dachte, das heißt, wahrscheinlich auch plante. Was sie aber, versicherte mir Frau Brücker, gar nicht getan hatte. Jedenfalls nicht bewußt. Es war einfach so: Man sitzt zusammen, redet und fühlt sich wohl, und es soll so bleiben. Hab nicht gedacht an die Zukunft, an Zusammenleben, an Heiraten sowieso nicht – verheiratet war ich ja noch. Zusammenzusein, mehr nicht, aber auch nicht weniger. Während er nur darauf wartete, endlich aus der Wohnung rauszukommen, endlich nach Hause zu kommen.

Sie versuchte denn auch sofort, diesen Satz zu verharmlosen, indem sie, den Tisch deckend, sagte, naja, das wird so oder so nicht mehr lange dauern. Hoffentlich kommt der Heinz heil zurück. Und übergangslos wechselte sie das Thema, erzählte, was der Gauredner heute auf der Betriebsversammlung verkündet hatte. Hamburg wird verteidigt. Bis zum letzten Mann.

Wahnsinn, sagte Bremer.

Sie piekte die Kartoffeln an. Sie waren noch etwas hart. Wie lange kann eine Stadt verteidigt werden? Lange genug, sagte Bremer, daß kein Stein mehr auf dem anderen bleibt. Leningrad haben sie drei Jahre verteidigt. Allerdings mit dem Unterschied, daß die Tommys hier ihre Bomber einsetzen werden. Die müssen ja nicht mehr weit fliegen. Starten dann von Münster, Köln, Hannover. Und hier, das sind keine Truppen mehr, alte Männer, Schreibstubenhengste, Militärmusiker, Hitlerjungen, Beinamputierte, mit denen ist kein Staat mehr zu machen. Richtig, Staat, rief er und sprang auf, das fehlte mir. Er ging ins Wohnzimmer, schrieb das Wort ins Kreuzworträtsel.

In dem Moment klingelte es. Sie standen einen Augenblick da wie erstarrt. Los! Teller weg! Besteck weg! Die Gläser! Da klingelte es schon wieder, länger, dringlicher. Moment! Komme gleich, ruft sie, schiebt Bremer in die Kammer, da wird von draußen an die Tür geklopft, was heißt geklopft, gehämmert. Sie läuft ins Schlafzimmer, sammelt die Sachen von Bremer zusammen, die Mütze, einen Pullover, Socken, wirft alles in die Kammer, in der Bremer steht, bleich, starr, es klingelt im Dauerton, Hämmern an der Tür, hallo, ruft eine Männerstimme, die Stimme von Lammers, dem Block- und Luftschutzwart, bin aufm Klo, ruft sie, läuft auf Zehenspitzen ins Klo, zieht auch ab, denn Lammers horcht natürlich an der Tür, läuft auf Zehenspitzen ins Bad, da liegt auch noch das Rasierzeug. Wohin damit? In den Wäschesack. Sie schließt die Kammertür ab. Hallo, ruft Lammers Stimme, die Briefklappe in der Wohnungstür wird hochgehoben, die Finger, dann Lammers Stimme, er ruft durch den Briefschlitz: Frau Brücker! Sie sind doch da. Machen Sie auf! Ich hör Sie doch. Machen Sie sofort auf! Aufmachen!

Ja doch, Moment. Sie riegelt die Tür auf.

Bremer hat sich in der Kammer vorsichtig auf einen Koffer gesetzt und starrt wie ein verstecktes Kind durch das Schlüsselloch in den Korridor: ein Paar Schnürstiefel, schwarz, der eine, links, kleiner, buckeliger, ein orthopädischer Schuh, darüber Ledergamaschen, ein grauer fadenscheiniger Militärmantel, am Koppel ein Luftschutzhelm, ein Gasmaskenbehälter. Eine Altmännerstimme sagt, die Verdunkelung in der Wohnung müsse kontrolliert werden, fragt, ob die Eimer mit Löschsand gefüllt seien. Kann ja mal eine Brandbombe aufs Haus fallen, sagt die Stimme. Oder eine Granate, sagt sie, die Engländer schießen ja schon über die Elbe. Aber das wollte Lammers nicht hören. Wir schießen zurück. Davon hör ich nix, sagt Lena Brücker. Sie werden zurückgeschlagen. Oder haben Sie daran etwa Zweifel? Hamburg ist eine Festung. Rauchen Sie wieder, fragt die Stimme, und Bremer glaubt, ein demonstratives Schnüffeln zu hören. Ja, ein Rückfall. Ich habs von Herrn Zwerg gehört, sagt der fadenscheinige Militärmantel, Sie holen sich wieder Zigaretten auf Ihre Marken. Haben Sie doch früher immer gegen Kartoffeln getauscht.

Ja, und?

Und dann sieht Bremer die Stiefel, den Mantel mit dem Helm und der Gasmaskentrommel in der Küche verschwinden, hinter ihm her geht Lena Brücker. Auf dem Küchentisch liegt das Feuerzeug von Bremer, eine zum Feuerzeug umgebaute 2-cm-Flakpatrone mit einer norwegischen Gravur. Sie hatte das Feuerzeug, mit dem er sich die Zigaretten ansteckte, zwar bemerkt, ihm aber keine weitere Beachtung geschenkt. Jetzt aber liegt es da wie ein Schaustück aus einem Kriegsmuseum. Ein vom Gebrauch glänzend poliertes Messingteil, rund, lang: eine Patrone. Auch Lammers starrt sie an. Sie zieht eine Zigarette aus der Schachtel, konzentriert sich darauf, daß ihre Hand nicht zittert, nimmt das Feuerzeug, schwer und glatt liegt es ihr in der Hand. Sie schnippt, schnippt nochmals. Das kleine Rad läßt sich nur schwer drehen. Dann, endlich, kommt die Flamme. Lammers hat sie beobachtet. Sie sieht in seinem Gesicht ein grüblerisches Mißtrauen. Ihre Hand hat ein wenig gezittert, kaum merklich, ihr aber war es vorgekommen, als flattere sie. Vorsichtig raucht sie die Zigarette an, damit sie nicht husten muß. Vor nun fast sechs Jahren, als ihr Mann eingezogen worden war, hatte sie aufgehört zu rauchen. Und zwar ganz mühelos, als sei ihr mit seinem Verschwinden auch die Lust am Rauchen vergangen. Ein Beutefeuerzeug, sagt

Lammers. Ja, sagt sie, kommt aus der Normandie, ein Geschenk. Lammers versucht die Inschrift zu entziffern. Ist kein Französisch, sagt er. Natürlich nicht. Polnisch? Weiß nicht. Gut riecht es hier. Ja. Fleisch? Fleisch! Sie sieht diesen hungrigen Altmännerblick, voller Mißtrauen, aber auch eine Gier, der verkniffene, geschlechtslose Mund arbeitet gegen die Speichelflut. Sie rührt in dem Topf mit den Kutteln. Ich habe doch Stimmen gehört, sagt Lammers. Ist Ihr Sohn da? Wieso, sagt sie, der ist doch bei der Flak, im Ruhrgebiet, das heißt, er wird in Gefangenschaft sein. Der Ruhrkessel hat ja kapituliert.

Natürlich merkte er, daß sie ihn aus der Reserve locken wollte, wie sie ihm Namen nannte, Normandie, Ruhrkessel, verlorene Schlachten, aber eben diese Haltung war es ja, die zu den verlorenen Schlachten führte, diese Haltung: Kamerad schieß du, ich hol Verpflegung, all diese kritischen, zweifelnden, zersetzenden Reden. Schludrigkeit überall, in den Fabriken, an der Front, auch an der Heimatfront. Zersetzende Witze: Was ist der Unterschied zwischen der Sonne und dem Führer? Die Sonne geht im Osten auf, der Führer geht im Osten unter. Dämliche Witze. Granaten, die nicht explodierten, Fehlläufer bei den Torpedos. Die gewöhnliche, alltägliche Sabotage an der Heimatfront, auch in der nächsten Umgebung des Führers, die dazu geführt hatte, daß der Feind hier im eigenen Land stand.

Lammers tapste zum Fenster, untersuchte das Verdunkelungsrollo, zupfte daran, sagte, hier ist doch ein Riß drin, da dringt doch Licht durch. So was können die Terrorbomber orten. Geht doch gar nicht. Wieso? Gibt doch kaum noch Strom. Dann bückte er sich, sah unter den Küchentisch. Was suchen Sie denn? Im Haus, sagte Lammers, hätten sich Leute beschwert. Worüber? Schreie, nachts! Er sah sie an. Sie dachte: Hoffentlich werd ich nicht rot, aber natürlich wurde sie rot, ich spür es, dachte sie, eine aus dem ganzen Körper aufsteigende flammende Hitze, alles Blut sammelt sich im Gesicht an. Warum? Ich schlafe schlecht. Wache nachts auf, sitze im Bett und schreie. Is doch kein Wunder, sagte sie, die Engländer stehen vor der Stadt. Was wollen Sie damit sagen, fragte Lammers. Wieso ich? Steht doch in der Zeitung, hier, Sie können den Frontverlauf sehen. Sie hielt ihm die Zeitung hin. Bremer sah die Schnürstiefel aus der Küche kommen, die Gamaschen, den Militärmantel, näher, näher, bis er nur noch Grau sah, dann wieder das Koppel, den Stahlhelm, die Schnürstiefel. Lammers bückte sich im Flur über die drei mit Sand gefüllten Eimer. Haben Sie Zweifel, daß die Stadt sich verteidigt, fragte er. Nein. Hab erst heute die Rede von Gauredner Grün gehört. Lammers ging ins Wohnzimmer, ins Schlafzimmer, als er sich dort niederkniete – etwas mühevoll erst auf das eine, dann auf das andere Knie niederließ, um unter das Bett zu blicken – sagte Lena Brücker, jetzt reichts, da muß keine Feuerpatsche liegen und auch kein Sand.

So, sagte er, ich werde dafür sorgen, daß Sie Einquartierung bekommen. Zwei Zimmer, eine Küche für eine Person, und draußen liegen Tausende von Volksgenossen auf der Straße, Flüchtlinge, Ausgebombte.

Wollen Sie damit sagen, der Führer hat den Krieg nicht erfolgreich geführt? Er zögerte, er merkte, da war eine Falle aufgebaut, in die er hineintappen sollte.

Falls Ihr Sohn da ist, melden Sie das besser der Polizei.

Sonst tue ichs. Und dann sind Sie beide dran. Lammers hinkte wieder über den Flur. Es riecht so. Bremer sah ihn im Flur stehen und schnüffeln. Ein Geruch nach Leder, nach Kommiß. Den Geruch kenne ich als alter Soldat.

Raus, sagte Lena Brücker, sofort raus, aber dalli. Sie warf die Wohnungstür hinter ihm zu, traf noch die Hacke seines orthopädischen Stiefels. Sie lehnte sich einen Moment an die Tür, hörte, wie er die Treppe hinuntertappte, schimpfend, aber sie konnte nur einzelne Worte verstehen: Sperrfeuer, Kyffhäuser, Verdun, Hammelbeine langziehen. Sie dachte, jetzt isses aus, der geht zur Gestapo, der zeigt dich an, sagt, die hält einen in der Wohnung versteckt.

Sie ging zur Kammer, schloß die Tür auf. Bremer kam heraus, bleich, Schweiß auf der Stirn, obwohl es in der Kammer eiskalt war. Er stand da, und sie sah, trotz der recht weit geschnittenen blauen Hosen, daß ihm die Knie zitterten. Sie gingen in die Küche, setzten sich. Und sie sagte in das ängstliche, nein, entsetzt blickende Gesicht von Bremer: Das war Lammers.

Sie stützte die Arme auf den Küchentisch, den Kopf in die Hände und lachte, ein angestrengtes Lachen, das kurz vor einem Schluchzen war.

Lammers is Blockwart, wohnt unten im Haus, war im Katasteramt, jetzt is er pensioniert und Luftschutzwart. Sie nahm die Kartoffeln vom Feuer, die inzwischen zerkocht waren. Bremer sagte, ihm sei der Appetit vergangen, aber dann aß er doch schnell, auch ihren Teil noch, nur hin und wieder hielt er inne und lauschte, wie sie, zum Treppenhaus. Dann aß er weiter. Das schmeckt, sagte er, einfach tosca.

Komisch, sagte Frau Brücker, nich, der Bremer sagte, wenn was gut war, also sehr gut war: tosca. Aber so richtig genießen konnte er die Kutteln nicht. Der Schreck saß ihm noch in den Knochen. Und ich konnte gar nichts essen. Wir wußten ja auch nicht, ob der Lammers nicht noch mal raufkommt. Und dann hatte der auch noch einen Schlüssel für meine Wohnung, wegen der Brandgefahr, konnte also jederzeit, wenn ich auf der Arbeit war, in die Wohnung kommen. Lammers war nicht nur Blockwart, sondern auch noch Luftschutzwart. Er war erst spät in die Partei eingetreten, dann aber gleich gründlich, ein Hundertfünfzigprozentiger. Er hatte vor Verdun einen Granatsplitter in den Fuß bekommen und behauptete, ein Engel, kein christlicher, sondern die Seele seiner verstorbenen Großtante, einer Bäuerin, habe diesen Granatsplitter, der ihn eigentlich am Kopf hätte treffen sollen, in den Fuß umgeleitet. Diese Großtante hatte nämlich einen Klumpfuß. Die Leute lachten über Lammers. Er glaubte an Seelenwanderung. Erzählte jedem, daß er sich an ein früheres Leben erinnern könne, als er Hauptmann in der bayerischen Artillerie gewesen und 1813 unter Napoleon nach Moskau marschiert sei. Beim Übergang über die Beresina sei er dann ertrunken. Er sah sich selbst über den zugefrorenen Fluß reiten, als eine Kanonenkugel neben ihm ins Eis schlägt, es aufreißt, splitternd, und er samt seinem Pferd in das schwarze eisige Wasser stürzt. Er hat noch das Wiehern des Pferdes und seinen eigenen Todesschrei in den Ohren.

Unsern Eisbayer nannten ihn alle, allerdings nur, wenn er nicht in der Nähe war. Und alle lachten über ihn, bis 36, da wurde nämlich im Nachbarhaus Henning Wehrs verhaftet. Wehrs war Schiffsbauer bei Blohm und Voss und bis 33 in der KPD gewesen. Wehrs begann, wenn er am Freitag betrunken war, auf die Nazis zu schimpfen: Mörderbande war noch das feinste. Alle sagten: Halt bloß die Klappe. Wenn das mal in falsche Ohren kommt. Und dann klingelte es eines Tages an der Tür. Frau Wehrs öffnet. Draußen stehen zwei Herren, fragen, ob sie mal Herrn Wehrs sprechen könnten. Und da Henning Wehrs gerade von der Frühschicht zurückgekommen war, sich eben gewaschen und ein frisches Hemd angezogen hatte, konnte er gleich mitgehen, zu dritt gingen sie die Treppe hinunter, redeten über das Wetter, über die Elbe, die nur wenig Wasser führte, und gingen zum Stadthaus. Erst nach drei Wochen kam Wehrs zurück. Wehrs war Wehrs und doch nicht mehr Wehrs. Er, dessen Lachen man durch zwei Etagen hören konnte, der über diesen Spökenkieker Lammers Witze riß und dann darüber am lautesten lachte, lachte nicht mehr. Es war, als wäre ihm dieses Lachen gestohlen worden. Es war wie im Märchen: Wehrs war nicht verletzt, hatte keine blauen Flecken, keine blutigen Fingernägel, keine Einstichstellen, nichts, aber er lachte nicht mehr, verriet auch nicht, warum er nicht mehr lachte. Dem war, sagte Frau Brücker, einfach das Lachen vergangen. Ein finsteres Schweigen. Lachte nicht, schimpfte nicht, weinte nicht. Sieht aus wie n Wiedergänger, sagte einer aus dem Haus. Auch seine Frau hörte nichts von ihm. Er faßte sie seitdem nicht mehr an. Lag im Bett, wach, manchmal stöhnte er. Und noch etwas: Er schnarchte nicht mehr. Manchmal kratzte er im Schlaf an der Bettkante, wovon sie jedesmal aufwachte, ein so durchdringendes Kratzen sei das, erzählte Frau Wehrs beim Milchmann und begann zu weinen.

Was ist, was haben sie mit dir gemacht? Nix, sagte er.

Er trank am Freitag. Aber jetzt auf eine stille Weise und so, daß man ihn nach Hause führen mußte. Einmal sagte er: Man muß das gesehen haben. Was? Aber dann sagte er nicht, was man gesehen haben mußte. Eines Tages stürzte er von der Helling herunter, auf der er nichts zu suchen hatte. Er war sofort tot. Es hieß, er habe Selbstmord begangen. Seine Frau bezog Rente. Betriebsunfall. Kollegen hatten ausgesagt, er habe da oben eine Eisenzwinge auswechseln müssen. Damals ging das Gerücht um, Lammers habe Wehrs angezeigt. Lammers war gerade in die NSDAP eingetreten. Das war alles. Niemand konnte einen konkreten Grund für das Gerücht nennen. Und doch hielt sich das Gerücht. In der Straße sagten sie: Lammers wars. Lammers wurde nicht mehr oder nur noch flüchtig gegrüßt. Betrat er ein Geschäft, verstummten die Gespräche, oder man unterhielt sich betont laut über diesen ewigen Regen, die Sonne oder den Wind. Lammers erzählte überall ungefragt, er habe Wehrs nicht angezeigt. Die Leute wandten sich ab. Fast weinerlich betonte er, so was könne er gar nicht tun. Aber dann, nach einem halben Jahr, als ihn immer noch dieses Schweigen umgab, begann er plötzlich die Leute, die in seiner Nähe im Treppenhaus, in der Schlachterei, in der Gastwirtschaft schwiegen, zu fragen, was sie denn so dächten. Keineswegs versteckt, sondern direkt. Finden Sie es richtig, daß die Synagogen angesteckt wurden? Würden Sie bei Juden kaufen? Einen Kommunisten verstecken? Die Leute antworteten mit Ausflüchten, aber er blieb hartnäckig, ließ sich nicht ablenken, und so gaben sie Antworten, zögerliche Zustimmungen, gewundene, und man sah, wie die anderen logen, und hörte sich selbst lügen. So wurde Lammers wieder gegrüßt, erst langsam und knapp, dann, Polen war von der Wehrmacht überrannt worden, freundlich, Norwegen und Dänemark erobert, betont freundlich, und, als Frankreich kapitulierte, fast enthusiastisch. Einige, die nicht grüßten, die zögerlich antworteten, wurden zur Gestapo vorgeladen, da wurde gefragt, woher sie den Schnaps hatten bei der letzten Feier. 1942, als das jüdische Levy-Stift am Großneumarkt geräumt wurde, grüßte man ihn mit erhobenem Arm, rief Heil Hitler, Herr Lammers, sogar über die Straße hinweg.

Lammers wurde Blockwart, Lammers organisierte Kinderlandverschickungen, Winterhilfswerk, später den Luftschutz. Er war zwei Jahre früher in Pension gegangen wegen seines zerschossenen Fußes, ganz unnötig, denn es ging ihm gut, sichtlich gut, genaugenommen ging es ihm immer besser. Kein Wunder, denn in der Schlachterei wurde die Wurst so ausgewogen, daß die Verkäuferin sagen konnte, kann es etwas mehr sein, was sie, da die Wurst nur auf Marken zugeteilt wurde, gar nicht sagen durfte. Der Bäcker hatte für Lammers noch Brötchen, als es längst keine mehr gab. Nur Lena Brücker, der man einen Schleswig-Holsteiner Dickkopf nachsagte, grüßte immer: Guten Tag, Herr Lammers. Und jedesmal sagte Lammers: Heil Hitler ist der deutsche Gruß, Frau Brücker. Gut, Herr Lammers, Heil Hitler. Eines Tages wurde sie zur Gestapo bestellt, dort aber befragte man sie über Holzinger, und mit dem hatte Lammers nichts zu tun.

Vielleicht hättest du ihm Kutteln anbieten sollen, sagte Bremer, der hat das Essen durch die Türen gerochen.

Nee, sagte Lena Brücker, der setzt seine Füße nicht unter meinen Tisch. Er wird mißtrauisch geworden sein, weil ich nicht im Keller war, gestern, beim Luftschutzalarm. Ich bin sonst immer runtergegangen. Man denkt an die Kinder. Hoffentlich gehts dem Jungen gut. Und die Edith, was die wohl macht. Wir müssen besonders vorsichtig sein. Beweg dich wenig. Vor allem, wenn es an der Tür klingelt, schließ dich in die Kammer ein.

Er konnte nicht einschlafen. Sie lag, wie immer, auf dem Bauch, auf ihren Brüsten wie auf kleinen Kissen und schlief. Vorsichtig schob er seine Hand auf ihren Hüftspeck. So lag er still, sah hin und wieder auf die Leuchtziffern seiner Armbanduhr und wartete, daß endlich, endlich Tag werde.

3

Lena Brücker telefonierte in der Kantine nach Frühkarotten, um den Organisatoren der Lebensmittelverteilung den Vitaminbedarf zu sichern, während im Radio von letzten und allerletzten, zugleich immer entscheidenderen Absatz-, Rückzugs- und Umgruppierungsgefechten der deutschen Truppen berichtet wurde, da war Bremer eben aufgestanden, hatte sich den Marinestutzer umgehängt und blickte aus dem Fenster hinunter in die Brüderstraße. Wie gestern kamen und gingen Frauen mit Wassereimern, mal schnell, mal langsam, er sah es am Gang, an der schiefen Schulter, dem vorsichtigen Auftreten, ob die Eimer voll oder leer waren. Aber der Hydrant, von dem sie das Wasser holten, war nicht im Blick. Die Sonne schien, und dennoch sahen die Menschen dort unten grau und trübe aus. Die Frauen trugen noch die dunklen Wintermäntel, die Haare hatten sie unter Kopftüchern verborgen. Ein alter Mann zog einen kleinen Blockwagen hinter sich her, darauf lagen ein paar angekohlte Bretter, und auf den Brettern saß ein Huhn.

Bremer setzte sich an den Küchentisch, trank etwas von dem Eichelkaffee, den Lena Brücker ihm warmgestellt hatte. Der Kaffee zog ihm den Mund zusammen. Es war nur noch eine Ahnung von Bohnenkaffee darin. Zwei Scheiben Brot hatte sie ihm hingestellt, etwas Margarine, aber sie hatte sie geformt wie in einem Hotel, zwei Kleeblätter. Und daneben stand ein selbst eingemachtes Apfelgelee. Er aß das Brot, zündete sich eine Zigarette an, trank Kaffee, der sonderbarerweise, wenn man auf Lunge rauchte, stärker nach Kaffee schmeckte. Er begann ein neues Kreuzworträtsel zu lösen. Eine Stadt in Ostpreußen, sechs Buchstaben: Tilsit. Die Stadt gab es schon nicht mehr. Eine literarische Gattung mit N am Anfang und sieben Buchstaben. Wußte er nicht. Ein griechischer Dichter mit H, fünf Buchstaben? Homer. Hin und wieder ging er zum Fenster und blickte hinunter. Frauen schleppten Wasser, andere kamen mit leeren Eimern, und erstmals sah er das Ende der Schlange, dort, wo sich die Frauen anstellten. Dort also, seinem Blickfeld entzogen, stand der Hydrant. Kinder spielten Himmel und Hölle. Er sah die Frau von gestern wieder, diesmal trug sie schwarze Seidenstrümpfe. Ein Unteroffizier kam, sprach sie an. Sie ging mit ihm über die Straße, verschwand aus seinem Blickfeld. Wenig später erschien die Frau an einem der gegenüberliegenden Fenster. Im Hintergrund stand der Mann, der sich die Uniformjacke aufknöpfte. Die Frau zog mit einem Ruck die Gardine zu, und ein Schatten zog sich ein Kleid über den Kopf.

Mittags, als es für zwei Stunden Strom gab, befingerte er das Kabel des Radios, das auf der Anrichte der Küche stand, drückte die beiden Knöpfe durch, schlug drei-, viermal mit der flachen Hand, schließlich mit der Faust auf den Kasten. Aus Tausenden, Hunderttausenden von Volksempfängern wurden gerade jetzt im restlichen Deutschen Reich irgendwelche Durchhaltereden, Frontbegradigungen oder auch nur Schlager übertragen, aber ausgerechnet dieser war kaputt. Er hätte den BBC hören können, dann wüßte er, wo die alliierten Truppen tatsächlich standen. Er schraubte die Rückseite des Geräts ab. Die Röhre war schwarz angelaufen. Vielleicht gab es in der Wohnung ein altes Gerät, aus dem man die Röhre herausschrauben konnte. Er ging zum Wohnzimmerschrank, zögerte, weil er sich sagte, darin könne bestimmt keine Radioröhre sein. Er suchte in der Kammer. Zwischen Schuhen, Kartons, eingemotteten Wintermänteln, zwei abgestoßenen Pappkoffern, einem größeren Pappkarton mit der Aufschrift Christbaumschmuck. Er ging in die Küche zurück, sah im Küchenbord nach, ordnete sorgfältig die durcheinanderstehenden Töpfe und Pfannen. Richtete die Dosen mit den Aufschriften Mehl, Zukker, Grieß sorgfältig in einer Reihe aus. Sie waren, bis auf die Mehldose, alle leer. Längst suchte er nicht mehr eine Radioröhre, sondern er stöberte neugierig in den Ecken der Wohnung, er suchte Spuren von ihr, von ihrem Leben, das er nicht kannte. Zwar sagte er sich, das ist nicht fein, was du da machst, aber dann dachte er, es wäre nützlich, einen Atlas zu haben, er könnte dann genau den Vormarsch der englischen Truppen verfolgen, und das war ein Grund, auch im Wohnzimmerschrank mit einem weniger schlechten Gewissen weiterzusuchen.

In den linken Seitenfächern stand Geschirr. In den rechten lagen Akten, Familiendokumente, Versicherungskarten, Geburtsurkunden, Lena Brückers Konfirmationsschein: Sei getreu bis in den Tod, so will ich dir die Krone des Lebens geben. Einen Moment zögerte er, kramte dann weiter, ein, zwei Bündel Briefe, daneben ein in roten Rupfen eingebundenes Fotoalbum. Und darunter lag der Schulatlas. Er zog ihn heraus, begann dann aber, wie ich es viele Jahre später tun sollte, in dem Fotoalbum zu blättern. Lena Brücker als Kleinkind auf einem Eisbärenfell, als Kind im gestärkten Rüschenkleid, als Mädchen, einen Blumenkranz im Haar, schwarze Strümpfe, glänzend unter dem knappen Rock, ein junger Mann an ihrer Seite. Auffällig an ihr ist das leuchtend blonde Haar in diesen ja nur aus Schatten bestehenden Bildern. Ein Foto von einer Feier, verwegen sieht sie aus, im Gesicht ein Strahlen, so sitzt sie da, ein kleines Papierhütchen auf dem Kopf, eine Papierschlange um den Hals, ist sie in einem Sessel zurückgesunken, was die Beine – züchtig nebeneinandergestellt – noch länger erscheinen läßt, der Rock ist etwas hochgerutscht, deutlich ist der Strumpfansatz zu sehen.

Lena Brücker mit einem Säugling auf dem Arm, den Kopf stützt sie ab, die Ärmel des Kittelkleides hat sie aufgekrempelt. Er dachte an seinen Sohn, den er nur zwanzig Tage gesehen hatte, ein Kind, das, als er es streicheln wollte, zu schreien begann. Und wenn er ehrlich war, hatte dieses Kind, das viel Zeit für sich beanspruchte, seinen Urlaub gestört. Nicht, daß er das Kind gehaßt hätte, aber er spürte, was er sich zunächst nicht gleich eingestehen mochte, einen ungeduldigen Ärger, weil seine Frau sich immer wieder mit diesem Kind abgeben mußte, weil es gewindelt, gewaschen, gecremt oder einfach auf den Arm genommen werden mußte. Es schrie nachts, immer wieder, bis sie es zu sich ins Bett nahm, das heißt, sie legte es zwischen sich und ihn. Wenn er ehrlich war, mußte er sich eingestehen, eifersüchtig auf dieses Kind zu sein. Bremer blätterte weiter und fand ihn, der ihr Mann sein mußte: Ein hochgewachsener, schlanker Mann steht da, im Anzug, raucht, die Hand, die linke, lässig in der

Taille abgestützt, wie ein Filmschauspieler. Bremer legte das Album aus der Hand, während ich später noch weiter darin herumblätterte, die Kinder von Frau Brücker betrachtete, der Junge in HJ-Uniform, zuletzt in der Uniform eines Flakhelfers. Dann die nicht mehr eingeklebten Fotos, die Bremer damals noch nicht sehen konnte, die Tochter mit dem Enkel, der Sohn als Schornsteinfeger vor seinem VW. Das sind Bilder aus den fünfziger und sechziger Jahren. Frau Brücker, im Laufe der Jahre, mal der Rock länger, mal kürzer, die Schuhe mal blockhaft, mal stilettartig, dann plötzlich diese indifferenten Kaufhauskleider der sechziger Jahre, kein Ausschnitt, keine betonte Taille, obwohl sie eine gute Figur hatte, spraybetonierte Locken, wobei in dem hellen Blond das Grau nur für den zu erkennen ist, der es, wie ich am Imbißstand, in Natur gesehen hatte. Sie sieht nicht wie fünfzig, eher wie vierzig aus, und doch ist aus dem Gesicht etwas verschwunden, etwas Genußfähiges, die Unterlippe, diese sinnlich vorgeschobene Unterlippe ist schmaler geworden, zeigt kleine Falten.

Bremer wühlte weiter: Versicherungspolicen, Strom- und Gasabrechnungen, ein Bündel Briefe, mit einer blauroten Kordel zusammengeschnürt. Der Name des Absenders: Klaus Meyer. Einen Moment zögerte er, dann knüpfte er das Bündel auf und las den zuoberst liegenden Brief:

»Liebes, ich sitze in meinem Zimmer im Gasthof ›Zur Sonne‹, und von unten, aus der Gaststube, höre ich die Skatrunde. Ich wünschte, du wärest jetzt hier. Wir hätten zusammen gegessen, Scholle, gebraten und fangfrisch aus der Elbe, hätten von dem roten spanischen Wein getrunken, der über Glückstadt geliefert wird, und wären hier heraufgekommen. Der Wind drückt gegen die Fenster, und von der Elbe kommen wie das Stöhnen und Ächzen der Erde die Geräusche eines Eimerbaggers.

Morgens habe ich im hiesigen Kurzwarenladen zwei Packungen Marineknöpfe verkauft und ein Dutzend Perlmuttknöpfe, das war alles. Aber danach bin ich zu dem alten Bootsbauer Junge gegangen. Er konnte mir tatsächlich den Klüverrackring aufzeichnen. Und weil er auch nicht sagen konnte, wie es geschrieben wird, schreibe ich rack mit ck. Ich denke, es kommt dem Haken näher, der ja daran befestigt wurde, als ein g ...«

Sonderbar, dachte Bremer und steckte den Brief zurück, zögerte, ob er einen anderen Brief lesen sollte, band dann aber wieder die Kordel um die Briefe und sagte sich, daß er so einen Brief nicht schreiben könne. Wie das Stöhnen und Ächzen der Erde. Tatsächlich wurde die Erde beim Baggern ja aufgerissen. Wer war dieser Klaus Meyer? Er würde sie nicht fragen können. Bremer ging ins Schlafzimmer. Im rechten Seitenteil des Schlafzimmerschranks lagen in den Fächern säuberlich gestapelt Herrenoberhemden, daneben hingen drei Anzüge, ein dunkelblauer, ein hellgrauer, ein brauner. Er zog den hellgrauen Anzug an und stellte sich vor den Spiegel im Schlafzimmer. Der Anzug war etwas weit. Der ihn daraus ansah, war ein Fremder, nach all den Jahren in der blauen Marineuniform ein helles Grau. Dieser Barkassenführer verstand sich zu kleiden. Das Erstaunliche war die Qualität des Tuchs. Barkassenführer verdienen doch nicht so viel Geld, dachte er. Der Anzug roch nach Lavendel. In jeder Tasche fand er ein kleines Stoffsäckchen Lavendel.

Also erwartete sie immer noch ihren Mann. Käme der zur Tür herein, müßte er nur in den Schrank greifen und sich ein Hemd heraussuchen. Bremer zog sich ein hellblaues Hemd an, dann den hellgrauen Anzug, wählte eine blaugeflammte Krawatte. Älter, nein, seriöser sah er in diesem Anzug aus. Und unverwechselbar. Wer ihn sehen würde, müßte denken, er sei ein erfolgreicher Kaufmann oder ein noch sehr junger Rechtsanwalt.

In diesem Moment hörte er das Klopfen an der Wohnungstür, ein leises, fast zaghaftes Klopfen. Er raffte seine Uniformteile zusammen, lief – er hörte schon den Schlüssel im Schloß knirschen, in die Kammer, verschloß die Kammertür und zog den Schlüssel ab. Er versuchte, seinen Atem zu beruhigen, ein Keuchen, mehr von Angst, Hektik und vom Atemanhalten als von den hastigen Griffen, den paar Schritten, die er laufen mußte. Hatte er nichts vergessen? Lag da nicht womöglich noch eine Socke von ihm? Oder das Koppel? Nein, das hatte er in der Kammer. Er blickte durch das Schlüsselloch der Kammertür und sah den orthopädischen Stiefel, sah Lammers im grauen Wehrmachtsmantel, sah ihn vorsichtig in die Küche humpeln. Bremer hörte ein Kratzen, ein Schaben. Was macht der da? Dann kam Lammers wieder vorbei, ging in das Wohnzimmer. Dort lag aufgeschlagen der Schulatlas. Das war nichts Verdächtiges. Plötzlich kam der Mantel näher, bis es vor dem Schlüsselloch schwarz wurde, dann, sehr sacht, wurde die Klinke heruntergedrückt, und Bremer fuhr unwillkürlich zurück. An der Tür wurde gezogen, gerüttelt. Schritte, die sich entfernten. Deutlich war zu hören, wie Lammers den Schlafzimmerschrank aufschloß. Lammers ging ins Bad, das ja genaugenommen nur eine Toilette mit einem Waschbecken war. Und da durchzuckte es Bremer: Dort lag sein Rasierzeug. Lammers würde einen Rasierpinsel, einen Rasierapparat und ein Stück Seife finden. Trocken zwar, er hatte sich ja zuletzt gestern eingeseift, aber dennoch war zu sehen, das Rasierzeug war in letzter Zeit gebraucht worden. Lammers kam aus dem Bad, hinkte den Korridor entlang und zog leise die Tür ins Schloß. Bremer wartete in der dunklen Kammer, und als er nichts mehr hörte, ging er hinaus, ging ins Bad und sah: Das Rasierzeug war verschwunden. Lammers mußte es mitgenommen haben.

Er wird kommen, dachte Bremer, er wird zurückkommen mit einer Wehrmachtsstreife, sie werden dich abholen. Sollte er einfach auf die Straße gehen? Aber da würde ihn jeder Polizist nach dem Ausweis fragen, ein elegant gekleideter junger Mann, der nicht in Uniform steckte, das durfte es gar nicht geben. Die einzige Chance, die einzige winzige Chance ist, wenn sie kommen, zu sagen: Ich bin schwedischer Seemann, dachte er und setzte sich wieder in die Kammer und hörte sein Blut im Kopf rauschen.

Abends ging Lena Brücker die Treppe hinauf, das Treppenhauslicht lief wie gewöhnlich nur, bis sie zum zweiten Stock gekommen war. Sie wollte eben die letzte Treppe hinaufgehen, als die Wohnungstür aufging, und heraus kam Frau Eckleben und sagte: Bei Ihnen ist jemand in der Wohnung.

Nein.

Doch. Sind immer Schritte zu hören, direkt überm Wohnzimmer.

Nee, sagte Lena Brücker, ganz unmöglich.

Doch, sagte Frau Eckleben, ich wollte schon Polizei holen, ganz sicher: läuft jemand rum. Besser Sie holen den Lammers, jetzt, wenn Sie aufschließen. Wenn da nun ein Einbrecher drinsitzt.

Richtig, sagte Lena Brücker und schlug sich übertrieben mit der Hand vor die Stirn, richtig, hab ich ganz vergessen, hab ja meiner Freundin den Schlüssel gegeben.

Hörte sich nicht nach einem Frauenschritt an.

Glaub ich, die ist ja auch Kranführerin im Hafen.

Sie müssen es ja wissen. Die Tür schloß sich vor dem zu Mißtrauen erstarrten Ecklebengesicht.

Lena Brücker schließt ihre Wohnungstür auf, zieht sie schnell hinter sich zu. Sie geht in die Küche, geht ins Schlafzimmer, hallo, sagt sie leise, will ins Wohnzimmer, da geht die Tür der Kammer auf, und ihr Mann kommt heraus. Was willst du hier, will sie fragen, kriegt vor Schreck aber kein Wort raus. Erst als er langsam aus dem Dunkeln näher kommt, erkennt sie Bremer. Lammers war hier, in der Wohnung. Ich muß weg. Er hat mein Rasierzeug mitgenommen. Aber da kann sie endlich lachen und sagen, daß sie das ja gestern in den Wäschebeutel gesteckt hat.

Stachelig bist du heute, sagt sie, als er sie küßt, und dann zeigt sie auf die schwarzen Halbschuhe ihres Mannes, die seit sechs Jahren in der Kammer standen, die sie in all den Jahren nie angerührt hatte. Auch nicht die Anzüge, nicht die Oberhemden, die sie gewaschen, sorgfältig gebügelt und dann eingeordnet hatte. Sie hatte sie aufgehoben, weil sie, die sonst nicht weiter abergläubisch war, dachte, wenn ich die Sachen weggebe, dann taucht er bestimmt wieder auf, irgendwann, um die abzuholen. Sie müßte dann erklären, warum sie die weggegeben hatte. Und dann würde er einfach bleiben. Sie wäre dann in seiner Schuld. Nur die Unterhosen, die Unterhemden, die hatte sie dem Winterhilfswerk gegeben. Dafür könnte sie denn auch sofort einen Grund nennen, dem ihr Mann nicht einmal hätte widersprechen können. Das ungenützt herumliegende Unterzeug half der kämpfenden, im russischen Winter frierenden Truppe. Auch würde er nie nach der Unterwäsche fragen, die einfach immer sauber gewaschen dalag und nicht der Rede wert war. Denn mit drekkigen Unterhosen hatte nur sie zu tun. Jederzeit denkbar war, daß er kommen und nach den teuren maßgeschneiderten Anzügen und Hemden fragen würde oder nach den Halbschuhen, in deren Innenleder das Herkunftsland USA geprägt war. All diese Kleidungsstücke paßten, was sie immer als irritierend empfunden hatte, nicht in die Gegend, nicht in dieses Haus, nicht in diese billige, enge Wohnung.

Die passen, sagt Bremer und macht einige Schritte.

Du darfst nicht in Schuhen rumlaufen. Die Eckleben wollte schon die Polizei rufen, glaubte, hier waren die Einbrecher. Sie zog aus dem Einkaufsnetz eine Tüte mit Reis. Eine Sonderzulage, hat es heute gegeben.

Tja, sagte Frau Brücker, und da hat er mich gefragt, ob ich Curry im Haus habe. Frau Brücker lachte. Sie nahm eine neue Masche auf, zwischendurch dieses schnelle Tasten zum Rand. Christian, mein Urenkel in Hannover, macht bald Abitur. Der läuft gern Ski. Für den ist der Pullover. Der Sohn vom Heinz. Heinz ist der Sohn von Edith, meiner Tochter.

Ich mach uns n Kaffee. Sie stand langsam auf, ging in die Kochnische, stellte den Tauchsieder an, schüttete Kaffee in den Filter, tastete zum Sieder. Soll ich helfen? fragte ich sie, weil ich dachte, sie könne sich verbrühen, und sei es nur von den Spritzern des kochenden Wassers.

Nee, geht schon. Sie goß das kochende Wasser in den Filter und holte ein Stück alten Gouda aus dem Kühlschrank, zerschnitt ihn in kleine Stücke, stellte den Teller auf den Tisch.

Ich versuchte, sie auf den Curry zurückzubringen. Hat Bremer denn das Rezept entdeckt?

Bremer, wieso? Weil er gefragt hat. Was? Na, wegen des Currys. Ach so. Nee. Das mit der Currywurst war n Zufall, nix weiter. Ich bin gestolpert. Dabei ist es passiert. War n einziger Matsch.

Hatten Sie denn damals Curry zu Hause?

Natürlich nicht. Heute wird ja alles mögliche aus allen Himmelsrichtungen gekocht und gegessen, Spaghetti, Tortellini, Nasi Goreng und wie das Zeug alles noch heißt. Hier kochen sie zum Beispiel Currygeschnetzeltes. Truthahn mit Curry. Schmeckt mir am besten. Machen sie aber nur alle vierzehn Tage. Leider.

Sie kam mit der Kaffeekanne, ertastete die Tassen und schenkte ein, beide Tassen fast gleichmäßig voll. Sie trank und lauschte. Zu hören war eine ferne Unruhe im Hause, ein Rauschen, aus dem nur hin und wieder ein einzelnes Geräusch deutlich wurde, das Schlagen einer Tür, das Anfahren des Fahrstuhls, Stimmen, quietschende Schritte auf dem genoppten Kunststoffbelag des Flurs.

Geschickt trennte sie mit der Gabel mundgerechte Ecken von ihrer Marzipantorte, vor jedem neuen Bissen tastete sie sich mit der Gabel bis zum Ende des Tortenstücks, um sich dann ein Stück abzuspachteln. Sie lutschte diese Happen regelrecht, und beim Lutschen kam etwas in ihr Gesicht, eine Genußfähigkeit, die verständlich machte, was man sonst mit dieser gebückten alten Frau nicht in Zusammenhang bringen konnte, eine dem Willen entzogene Lust, ein den Körper verwandelndes Genießen. Dann sah ich das schlechtsitzende, beim Kauen sich verschiebende Gebiß, und ich dachte an Versehrtheit und an das Wort Prothese. Wie war das mit dem Curry von Bremer?

Bremer fragte, als er den Reis sah, ob ich n bißchen Curry hätte, dann könne er Curryreis machen.

Wie kam er auf Curry?

Der Bremer war kurz vor dem Krieg als Maschinenassi mit einem Dampfer nach Indien gefahren, sagt sie und schiebt sich ein Stück Marzipantorte in den Mund. Sie kaut. Ein schweigendes Genießen. Dann ißt sie ein Stückchen von dem Gouda. Der Dampfer, Dora hieß er, lag auf der Reede vor Bombay. Und Bremer, damals gerade achtzehn Jahre alt, hatte son fürchterlichen Hitzeausschlag im Gesicht, rot, Pusteln, und dann noch Heimweh. Hat ihn der Erste Offizier mit an Land genommen, zum Essen. Hühnerfleisch mit Curry, das schmeckte, sagte Bremer, wie ein Garten. Geschmack aus ner andern Welt. Der Wind; die Schlange, die beißt; der Vogel, der fliegt; die Nacht, Liebe. Is wie im Traum. Eine Erinnerung, als man mal Pflanze war. Und in der Nacht träumte Bremer tatsächlich, er is n Baum. Ein Baum? Ja. Der Bremer war ja eher, sagen wir mal n nüchterner Mensch. Aber da kam er richtig ins Schwärmen. Sagte, der Wind sei durch ihn durchgegangen, er habe gerauscht, und dabei sei er so durchgekitzelt worden, daß er lachen mußte, bei jedem Windstoß, so kräftig, daß ihm die Äste weh taten. Dann ist er aufgewacht, und tatsächlich taten ihm die Seiten weh, hier die Rippen. Hat er mir gezeigt, fuhr ganz sacht in die Rippen. Verrückt, nich. Is das Gewürz gegen die Schwermut und gegen dickes Blut. Der Ausschlag war nämlich weg. So ne Art Götterspeise, hat Bremer gesagt. War das einzig Tolle, was der Bremer erlebt hat. Sonst ja nur Mord und Totschlag.

Haben Sie den Reis mit Curry gemacht?

Gabs doch nicht. Nee, ich hab den Reis mit nem Brühwürfel gekocht und dann kleingeschnittene glasierte Zwiebeln dazu. Bremer hatte sich nach dem Essen eine Zigarre angesteckt, eine der fünf echten Havannas, die Gary in kleinen Blechröhren zurückgelassen hatte, gut verschraubt, inzwischen aber strohtrocken, mit bröseligem Deckblatt. Bremer mußte nach dem Anstecken die kleine Flamme ausblasen, die am Zigarrenende brannte und ihm die Zigarre beinahe in der Hand abgefackelt hätte. Geh aufs Klo, sagte Lena Brücker, riecht man doch im ganzen Haus, wenn der Lammers ne Zigarre riecht, dann is er sofort hier. Bremer zog sich also aufs Klo zurück, öffnete die Luke. Lena Brücker stellte die Teller in die Spüle, ging in die Kammer, um den Handbesen zu holen, da sah sie auf dem Boden, neben dem Koffer, wo er seine Marinejacke abgelegt hatte, eine Brieftasche liegen. Ein Teil der Fotos, Papiere, Marschbefehle, das Soldbuch waren fächerförmig herausgerutscht. Er mußte die Jacke einfach über den Koffer geworfen haben. Sie hob die Papiere und die Brieftasche auf, wollte sie zurückstekken. Als sie das Foto sah, in Postkartengröße, ging sie zur

Lampe: Bremer in Uniform, auf dem Arm ein kleines Kind, daneben eine Frau, dunkelhaarig, mit pechschwarzen Augen, und im Kinn so ein kleines Grübchen. Das Kind, das Bremer auf dem Arm trug, war noch kein Jahr alt. Er und die Frau sahen aus, als müßten sie gleich losprusten vor Lachen. Der Fotograf wird einen Witz gemacht haben. Sie starrte das Foto an. Auch ein Datum fand sie. 10.4.45 stand drauf. Er hatte nichts von einem Kind, von einer Frau gesagt.

Ich hab mich gefragt: Warum betrügt man eine so hübsche Frau? Warum hatte er seine Frau verschwiegen? Hätte er es gesagt, auch dann hätte ich ihn versteckt. Vielleicht auch mit ihm geschlafen – bestimmt sogar. Aber alles, was dann kam, wäre ohne sein Verschweigen so nicht gekommen.

Als er nach einer guten halben Stunde aus dem Klo zurückkam, als er sie umfaßte, nach kaltem Rauch riechend, sie an der Hand ins Schlafzimmer führte, als er ihr mit seiner großen Hand in die Bluse fuhr, packte sie plötzlich seine Hand, hielt sie wie in einem Schraubstock fest. Aua, sagte er. Sie drückte ihn sich etwas vom Leib, um ihm in die Augen sehen zu können, und fragte: Hast du eigentlich ne Frau? Da sagte er nach einem kleinen Zögern: Nein. Sie schüttelte den Kopf. Sie lachte ein wenig, ein künstliches Lachen. Sie ließ seine Hand los und hielt still, damit seine Hand ihr nicht noch einen Knopf von der Bluse riß, und sie sagte sich, daß sie genaugenommen kein Recht habe, ihn zu fragen. Er küßte ihren Hals, das Grübchen, die Salzfäßchen, wie ihre Mutter die kleinen Gruben am Hals genannt hatte, dann, als wüßte er, was ihr den Schauder einjagte, der die Haut sich zusammenziehen ließ, die Stelle hinter dem Ohrläppchen, und sie versanken in dieser ächzenden Matratzenkuhle. Die Sprungfedern kreischten, bis es klopfte. Von unten wurde gegen die Decke gehämmert. Frau Eckleben, sagte Lena Brücker außer Atem, die schläft direkt hier drunter.

Sie zogen die Matratzen, die damals noch dreigeteilt waren, aus dem schlingernden Ehebett, trugen sie in die Küche, legten sie neben das Sofa.

Es war das erste Mal, daß sie auf dem Boden schliefen, und da die Küche warm war, mußten sie sich nicht das Federbett über die Ohren ziehen. Liebe beruht auf Entgegenkommen, sagte die weise Frau Brücker, und ich beziehe das mal auf diese neue Unterlage, denke mir, es muß ein ganz anderes Gefühl sein, wenn man nicht unter dem anderen in eine quietschende Tiefe versinkt. Es war eine Insel aus zusammengeschobenen Matratzen. Allerdings drifteten sie, gerade wenn man sich darauf heftig bewegte, auseinander. So sehr, daß sie eine Konstruktion ersinnen mußten, um das lästige Verrutschen zu verhindern. Sie legte zunächst eine Wolldecke auf den Boden, darauf die Matratzen, schob die an den Küchenschrank, stützte sie seitlich zur Wand mit einem Besen und einem Schrubber ab, schob gegen die Kopfkeile das Sofa und verrammelte das Lager mit zwei Stühlen zur Wand, damit die Matratzen nicht abdriften konnten.

Bremer betrachtete die Matratzen und sagte mit einem maritimen Kennerblick: Sieht aus wie ein Floß.

Darauf lassen wir uns zum Kriegsende treiben, sagte sie, so, jetzt komm mal, mein Held, und zog ihn sich auf das Matratzenfloß.

4

Am 1. Mai meldete der Reichssender Hamburg: Der Führer Adolf Hitler ist heute nachmittag auf seinem Befehlsstand in der Reichskanzlei, bis zum letzten Atemzug gegen den Bolschewismus kämpfend, für Deutschland gefallen.

Der Stadtkommandant von Hamburg, General Wolz, will die Stadt kampflos übergeben, die Engländer haben die Elbe überquert, marschieren auf Lübeck zu, Generalfeldmarschall Busch gibt Durchhaltebefehle, Großadmiral Dönitz gibt Durchhaltebefehle, Wolz schickt Parlamentäre los. Geheim, denn die SS erschießt Parlamentäre. Gauleiter Kaufmann will übergeben, darf aber nichts sagen, weil er nicht weiß, ob Stadtkommandant Wolz, der ja auch übergeben will, übergeben will; und auch Hafenkommandant Admiral Bütow will übergeben, darf ebenfalls nichts sagen, weil er nicht weiß, ob Kaufmann und/oder Wolz übergeben wollen oder auch nur einer von den beiden oder beide nicht. So arbeiten sie alle unabhängig voneinander an der Übergabe der Festung Hamburg. Wolz zieht die zuverlässigen, für sein Vorhaben unzuverlässigen Truppen aus der Harburg-Front heraus, verlegt sie nach Nordosten: die SS-Kampfgruppe »Panzerteufel«. Alle drei, Wolz, Kaufmann und Bütow, legen sich verstärkte Stabswachen zu, damit Offiziere, die durchhalten wollen, sie nicht festnehmen können. Gauleiter Kaufmann lebt in der Festung Hamburg in einer Festung in der Festung. Umgeben von Stacheldraht. Vormittags werden Durchhalteparolen gesendet, Wetterberichte, sogar der Wasserstand wird gemessen, einen Meter über Normalnull. In Eutin werden drei Marinesoldaten, die sich von der Truppe entfernt hatten, erschossen. Ein englischer Panzer wird kurz vor Cuxhaven geknackt, die Besatzung verbrennt.

Holzinger hatte, gleich nach der Nachricht von Hitlers Tod, für den 2. Mai Erbsensuppe angesagt, das Lieblingsessen des Führers: die Posaunen von Jericho, ha, ha. Lena Brücker hatte am Tag zuvor erfahren, daß ein Proviantlager der SS bei Ochsenzoll aufgelöst wurde, und zwanzig Kilo Trockenerbsen sowie eine Speckseite organisiert. Lena Brücker deckte den Tisch für die Abteilungsleiter. Da stürzt jemand herein und ruft: Hört mal. Er schaltet den Lautsprecher in der Kantine an. Im Radio die Stimme von Gauleiter Kaufmann: ... *schickt sich an, Hamburg auf der Erde und aus der Luft mit seiner ungeheuren Übermacht anzugreifen. Für die Stadt, für ihre Menschen, für Hunderttausende von Frauen und Kindern bedeutet dies Tod und Zerstörung der letzten Existenzmöglichkeiten. Das Schicksal des Krieges kann nicht mehr gewendet werden; der Kampf aber in der Stadt bedeutet ihre sinnlose restlose Vernichtung.* Bißchen spät, die Einsicht, sagt Lena Brücker, aber noch nicht zu spät, und zieht den Kittel aus. Der Sprecher liest eine Erklärung vor: Alle lebenswichtigen Verkehrseinrichtungen werden gesichert. Hamburger, zeigt Euch als würdige Deutsche. Keine weißen Fahnen hissen. Die Sicherheitsorgane Hamburgs werden ihre Tätigkeit weiterhin ausüben. Erscheinungen des Schwarzen Marktes werden ohne Nachsicht verfolgt. Hamburger, bleibt zu Hause. Sperrstunden einhalten. Lena Brücker nimmt ihre Tasche, darin ein Henkelmann mit Erbsensuppe, und sagt: Dann mal tschüs. So geht für sie das Tausendjährige Reich zu Ende.

Sie eilt nach Hause. Menschen, denen sie begegnet, ruft sie zu: Der Krieg ist aus. Hamburg wird kampflos übergeben. Niemand, dem sie begegnete, kannte den Aufruf. Die fürchteten noch, daß es zu Straßenkämpfen kommt, wie in Berlin, Breslau und Königsberg. Häuser, die von Mörsern plattgemacht werden, zähe Brände, Bajonettkämpfe in der Kanalisation.

Aber dann, am Karl-Muck-Platz, dachte sie daran, daß sie das ja auch Bremer sagen mußte: Der Krieg ist aus! Hamburg hat kapituliert. Er wird, stellte sie sich vor, wenn ich es sage, erst stutzen, er wird dann, wenn er sitzt, aufstehen, wenn er steht, wird er die Hände heben, sein Gesicht wird sich verändern, die Augen, diese hellgrauen Augen, werden dunkler werden, er wird, dachte sie, strahlen, ja strahlen, kleine Falten werden sich um dic Augen bilden, Falten, die man sonst nicht sehen kann, eben nur, wenn er lacht. Er wird mich womöglich packen und durch das Zimmer wirbeln, er wird rufen: Wunderbar, oder, das ist wahrscheinlicher: tosca. Etwas Kindliches ist, wenn er sich freut, an ihm. Und kindlich ist auch sein Zuhören, dieses staunende Ach was, das er hervorstößt, wenn ich ihm etwas erzähle. Er wird noch dableiben, voller Ungeduld, denn noch konnte man ja nicht auf die Straßen. Es gab Sperrstunden. Die Züge würden noch nicht fahren. Die Engländer würden die Straßen kontrollieren. Er wäre hier, aber schon nicht mehr hier, in allem, was er macht, wäre er immer schon auf dem Sprung, weg, nach Braunschweig. Das ist, wie es ist, dachte sie, daran war nichts zu ändern, das war, wenn sie daran dachte, wie ein Schatten, der sie ihr weiteres Leben ohne Blendung sehen ließ. Es war ein Abschnitt ihres Lebens, aus dem sie normalerweise kaum merklich herausgeglitten wäre. Es war eine kurze Zeitspanne gewesen, ein paar Tage nur, aber damit ging in ihrem Leben etwas endgültig zu Ende. Jugend konnte sie nicht sagen, denn jung war sie ja nicht mehr, nein, sie würde danach alt sein. Und vielleicht war es eben diese ruhige Gewißheit, die bei ihr eine Unruhe, ja, eine Wut auslöste, die Vorstellung, daß er sich den Anzug ihres Mannes ausborgen würde. Ein ganz naheliegender und verständlicher Wunsch, der sie aber dennoch empörte.

Er würde sagen: Ich schicke ihn zurück, sobald ich kann. Ich werde ein Paket schicken, würde er sagen, sobald man wieder Pakete schicken kann. Er würde an sie denken, dann aber immer in Verbindung mit einem lästigen Paket, das zur Post getragen werden mußte. Ein Anzug, der darauf wartete, zusammengelegt zu werden, was wahrscheinlich seine Frau tun würde, sorgfältig und, wenn vorhanden, mit etwas Seidenpapier ausgepolstert. Er würde das Paket zur Post tragen. Er würde seiner Frau eine Geschichte erzählen. Er würde sagen, nach der Kapitulation habe er sich diesen Anzug von einem Kameraden ausgeliehen. Er kann nicht gut lügen, weil er nicht gut erzählen kann. Er kann nur gut verschweigen. Das kann er. Ihr Mann konnte lügen, weil er wunderbar erzählen konnte. Bremer würde also eine sparsame Geschichte erzählen, vielleicht so, er habe sich im letzten Moment von der Truppe absetzen können, zusammen mit einem Kameraden. Er wird ihm einen Namen geben, Detlefsen, aus Hamburg, eine Wohnung in Hamburg in der Nähe des Hafens, Marinetaucher. Bei dem waren sie untergeschlüpft. Eine Frau, die eine wunderbare falsche Krebssuppe kochen konnte. Nein, dachte sie, er wird mich nicht erwähnen, oder vielleicht – aber diesen Gedanken schob sie schnell beiseite – sagen, der Kamerad hatte eine Mutter, die gut kochen konnte. Nein, dachte sie, sie haßte den Gedanken an dieses Paket, sie dachte, er hat mich nicht direkt belogen, er hat mir nur nicht gesagt, daß er verheiratet ist, aber sie haßte dieses Paket und den Gedanken, daß er sie, wenn er in Zukunft an sie denken würde, mit diesem Paket verbinden würde. Sie schloß die Tür auf, rief nicht: In Hamburg ist der Krieg aus. Schluß. Aus und vorbei. Sie sagte nur: Hitler ist tot. Einen winzigen Augenblick, erzählte sie mir, habe sie gezögert, wollte sagen, der Krieg ist aus, hier, in Hamburg, aber da hatte er sie schon in die Arme genommen, geküßt, hatte sie auf das Sofa gedrückt, dieses durchgesessene Sofa. Vielleicht hätte ich es ihm danach gesagt. Es wäre einfach gewesen, aber dann sagte er: Jetzt gehts gegen die Russen, zusammen mit den Amis und den Tommys. Und er rief: Ich hab einen Bärenhunger.

Sie stellte den Topf mit der Erbsensuppe zum Aufwärmen auf den Kanonenofen.

Irgendwie hatte er neugierige Hände, sagte sie, nein, nicht unangenehm, im Gegenteil. Er war wirklich ein guter Liebhaber. Einen Moment habe ich gezögert, überlegte, kann man diese Frau, die fast siebenundachtzig ist, fragen, was sie damit meine, ein guter Liebhaber.

Ob ich sie etwas Persönliches fragen dürfe? Immerzu. Was meinen Sie mit: guter Liebhaber? Sie hörte einen Moment auf zu stricken. Er ließ sich Zeit. Ließen uns lange treiben. Und er konnte es oft. Na ja, und dann zögerte sie doch etwas, eben auch unterschiedlich. Ich nickte mit dem Kopf, obwohl sie das nicht sehen konnte – und obwohl mich, das will ich gern gestehen, dieses unterschiedlich interessierte, auch, ich würde sonst lügen, das wie oft. Ich habe nicht nachgefragt. Wonach ich sie aber gefragt habe, war, ob sie ein schlechtes Gewissen gehabt habe, Bremer nichts von der Kapitulation zu sagen.

Ja doch, sagte sie, doch, am Anfang, die ersten Tage, da hat sie immer wieder mit sich ringen müssen, nicht einfach mit der Wahrheit herauszuplatzen. Und natürlich später, aber das war dann eine andere Geschichte. Aber so inner Mitte, eigentlich nicht. Nee, da hats mir, ja, hats mir Spaß gemacht, wenn ich mal ganz ehrlich bin. Dabei hab ich nie gern gelogen. Tatsache. Schwindeln, klar, hin und wieder. Aber Lügen, hat meine Mutter immer gesagt, Lügen machen die Seele krank. Aber manchmal macht das Lügen auch gesund. Ich denk, ich hab was verschwiegen, und er hat was verschwiegen: seine Frau und sein Kind.

Ja, sagte sie. Er ging auf Socken. Der Krieg in Hamburg war aus und vorbei. Aber er geht weiterhin leise auf Socken herum. Es wurde nicht mehr gekämpft, und ich hatte einen in der Wohnung, der auf Strumpfsocken herumschlich. Nicht, daß ich mich über ihn lustig gemacht hab, aber ich fand ihn komisch. Sie lachte. Wenn man jemanden komisch findet, muß man nicht aufhören, ihn gern zu haben, aber man nimmt ihn nicht mehr so furchtbar ernst.

Am nächsten Morgen, sie ging die Treppe hinunter, unten stand Blockwart Lammers, ganz erstarrter Ernst: Adolf Hitler ist tot. Er sagte nicht, der Führer ist tot. Er sagte, Adolf Hitler ist tot. So als könne der Führer gar nicht sterben, eben nur Adolf Hitler. Haben Sie es nicht gehört? Es kam über Rundfunk. Dönitz ist sein Nachfolger, der Großadmiral Dönitz, verbesserte er sich. Sie können nicht raus, heute nicht, die Engländer haben ein Ausgehverbot erlassen. Die Engländer sind schon im Rathaus, der Stadtkommandant General Wolz hat die Stadt kampflos übergeben. Kampflos, also ehrlos, sagte er und starrte sie aus seinen blauen hervorquellenden Augen an. Sie können ja weiterkämpfen, Herr Lammers, als Werwolf, sagte Lena Brücker. So, und jetzt geben Sie mal den Wohnungsschlüssel her. Einen Luftschutzwart brauchen wir ja nun nicht mehr. Da zuckte es um den Mund von Lammers, und es kam ein Stöhnen aus diesem katasteramtlichen Mund, ein Ächzen, ein Greinen. Er pulte den Schlüssel aus dem Bund. Sie ging die Treppe hinauf, hörte hinter sich: Ideale, Verrat, Verdun, Vaterland, Speckritter, und dann, kaum noch verständlich, Immerintreuejawoll.

Oben schloß sie die Tür auf. Bremer kam aus der Kammer, bleich und im Gesicht den Schreck, ich dachte, da kommt jemand, der Blockwart. Nee, sagte sie, der steht unten, hat für die im Kampf Gefallenen Trauer geflaggt.

Verlieren wir den Krieg, verlieren wir unsere Ehre, sagte Bremer. Unsinn, auf die Ehre pfeif ich, sagte Lena Brücker. Der Krieg ist bald aus. Dönitz ist der Nachfolger von Hitler.

Der Großadmiral, sagte Bremer, jetzt wieder Bootsmann mit Narvikschild und EK II. Das ist gut. Hat Dönitz mit den Amerikanern verhandelt? Mit den Engländern? Geht es endlich gegen Rußland?

Er legte ihr die Antwort regelrecht in den Mund. Ja, ich glaube, ja, sagte Lena Brücker und war so weit nicht von der Wirklichkeit entfernt, denn Himmler ließ über einen schwedischen Mittelsmann den Alliierten ein Angebot machen: ein Separatfrieden mit England und den USA, um sodann gemeinsam gegen Rußland zu marschieren. Wir brauchen eben das: Jeeps, Corned beef und Camels.

Klar, sagte Bremer, Dönitz macht das. Ja, sagte sie, obwohl der zu dem Zeitpunkt noch nicht verhandelte, sondern Durchhaltebefehle in alle Welt funken und Fahnenflüchtige erschießen ließ. Bremer starrte auf das Kreuzworträtsel. Pferd mit Flügeln: sieben Buchstaben. Sonnenklar. Er blickte hoch, endlich, sagte er, endlich ist Churchill aufgewacht. Jetzt, sagte er und stand auf, gehts gegen die Russen. Ein Verhandlungsfriede mit dem Westen, sonnenklar, sagte er schon wieder. Sie verstand nicht. Er war aufgestanden, er hatte gesagt, hier, und legte den Schulatlas auf den Tisch. Erst in diesem Augenblick bemerkte sie, daß er den Atlas aus dem Schrank genommen hatte. Er mußte also gesucht haben, Kammer, Schränke, Truhe und Nachttische durchsucht, denn dieser Atlas lag in der Schrankschublade, ganz unten, und auf ihm die Briefe, ein paar von ihrem Sohn und, säuberlich gebündelt, vor allem die von ihm, Klaus, dem Vertreter für Knöpfe. Wer ist das, fragte ich. Das is, sagte Frau Brücker, ne andere Geschichte. Hat nix mit der Currywurst zu tun. Er wird die Briefe gelesen haben, dachte sie, er hat gekramt und alles gelesen. Und ich kann ihn nicht mal fragen, so eine Frage ist ja ganz albern, und er würde einfach nein sagen, so wie er sie belogen hatte, als sie ihn gefragt hatte, ob er verheiratet sei. Die Brieftasche mit dem Foto hatte einfach dagelegen; er aber mußte in ihrer Abwesenheit ihre Sachen durchsucht haben, was doch wohl einen Unterschied macht. Und er versuchte nicht einmal, eine Erklärung dafür zu geben, daß er den Atlas in der Hand hielt, er stand da, und sie dachte, er steht da wie so viele Männer in Uniform, von denen in den letzten Jahren Fotos und Bilder gezeigt wurden, der Führer, die Oberbefehlshaber der Wehrmacht, der Kriegsmarine gebeugt über Karten, auf Kartentischen unter Leselampen ausgebreitete, zusammengefaltete, auf die ein behandschuhter Finger tuffte, in Kübelwagen, kleine zerknitterte in Schützengräben, im Dreck liegend, da werden die ansetzen, sagte er. Die Engländer, sagte er, betonte immer der kommandierende Admiral, verlieren diesen Krieg auch dann, wenn sie ihn gewinnen würden. Danach ist es vorbei mit dem Weltreich, danach steht der Russe an der Nordsee. Hier werden sie ansetzen, Berlin zurückerobern, dann Breslau, dann Königsberg, eine Zangenbewegung von oben, riesig, Kurlandkessel wird verstärkt, unsere Einheiten laufen aus, endlich unter dem Schutz von Jägern, viele Schiffe sind ja noch intakt. Sie hatte ihn zum erstenmal so erregt, so fremd und so begeistert erlebt, aber dann, plötzlich, ließ er sich ins Sofa fallen, und, es war nicht anders zu sagen, sein Gesicht verdüsterte sich, da zog eine Wolke, eine rabenschwarze Wolke herauf, er denkt jetzt, dachte sie, daß er hier sitzen wird, daß er gar nicht raus kann, nicht am Vormarsch teilnehmen kann.

Nicht daß er ein Held gewesen wäre, so hatte er sich selbst nie gesehen, aber es war doch ein Unterschied, ob man kämpfte, wenn sich alles nach vorn bewegte, Siege gefeiert wurden, Sondermeldungen: Dadada, U-Boote im Atlantik, Kapitänleutnant Kretschmer hat 100 000 BRT feindlicher Einheiten versenkt. Eichenlaub mit Schwertern. Les Préludes, oder aber, ob man auf dem Rückzug war, da hieß es doch, irgendwie und möglichst heil die Knochen nach Hause zu bringen.

Ach so, sagte er, grübelnd, in sich versunken in dem durchgesessenen Sofa, deshalb hört man kein Schießen mehr.

Sie konnte sich denken, was er dachte, aber nicht aussprach, daß er ja desertiert war, daß er in dieser Wohnung auch weiterhin sitzen mußte, daß er womöglich Monate, vielleicht Jahre hierbleiben mußte, daß es nicht undenkbar war, daß der Krieg gewonnen werden konnte, daß er also gar nicht mehr herauskam. Der aufgeschlagene Atlas lag plötzlich unbeachtet da. Als sie ihn hochnahm, sah sie, daß er sorgfältig die Frontlinien von dem Tag eingetragen hatte, an dem er desertiert war. Im Norden war Bremen eingenommen, die Elbe bei Lauenburg von den Engländern überschritten, die Amerikaner hatten in Torgau den Russen die Hand gegeben. Es war nicht mehr viel übriggeblieben vom Deutschen Reich. Lammers von unten sagte: Der Führer hat einfach nicht auf die Sterne hören wollen. War doch klar, als Pluto und Mars sich kreuzten, da hätte man die V2 auf London, auf die Downing Street schießen müssen. Die Sterne lügen nicht, sagte Lammers. Roosevelt stirbt, ein Deutschenhasser, natürlich Jude. Truman dagegen, der hatte Durchblick. Churchill sowieso, trank zwar viel, hatte aber wohl bemerkt, wo hinein die alle schlidderten. Kommunismus, Bolschewismus. Feind der Menschheit. Alle redeten von der Wende. Wende, das war auch son Wort der Nazis. Die Wende kommt. Bremer, der Bootsmann, sagte: Bei der Wende muß man den Kopf einziehen. Er saß da, ein ängstlicher Schatten lag auf seinem Gesicht, eine Falte quetschte sich fragend auf die Stirn, etwas schief, eine Falte, die sich hochschob, etwas krumm, noch unkonturiert. Ich setzte mich neben ihn auf das Sofa, und er legte den Kopf an meine Schulter, und langsam rutschte sein Kopf runter, aufn Busen, und so hielt ich ihn. Ich dachte, wenn er jetzt anfängt zu weinen, dann sag ich es ihm. Ich streichelte ihm das Haar, das feine blonde, kurzgeschnittene, rechtsgescheitelte Haar. Und langsam, ganz langsam rutschte sein Kopf in meinen Schoß, seine Hand schob er mir unter den Rock, langsam bittend, einmal mußte ich kurz aufstehen, um den Stoff freizugeben.

Später, auf der Matratzeninsel, lauschte er. Sonderbar, sagte er. Kein Alarm, keine Schüsse. Unheimlich, die Stille. So plötzlich. Und er sagte, was ihm in der Ausbildung gesagt worden war als Ergebnis vieler Jahre Kriegserfahrung im Erdkampf: Auffällig ist immer die Stille. Gestern morgen hatten die Engländer noch den ganzen Tag über die Elbe geschossen. Heute diese beunruhigende Stille.

Sie unterbrach ihr Stricken, hielt das Pulloverteil hoch: Ist der Stamm gut so?

Dunkelbraun, fast schwarz, ragte der Stamm, der einmal Tanne werden sollte, aus dem Hellbraun der hügeligen Landschaft. Schon zeigte sich das Blau eines wolkenlosen Tages im Tal.

Kannste den Horizont sehn?

Ja, sagte ich.

Aber jetzt wirds schwierig, mit den Zweigen der Tanne.

Wie machen Sie das?

Hab früher viel gestrickt. Mal ne Katze vor ner Laterne, mal n kleines Segelschiff. Einmal einen Freiballon. Da konnt ich kaum noch sehn. Und immer wieder Landschaften mit Bergen, Sonne und Tannen. Sogar mit Wolken, hab so richtige Haufenwolken gestrickt. Aber die krieg ich, glaub ich, nicht mehr hin.

Wie gefällt dir die Landschaft?

Sehr schön. Vielleicht noch zwei, drei Reihen Blau mit Stamm. Gut, sagte sie und sah über mich hinweg, zählte und setzte mit einem blauen Faden wieder an und führte einen dunkelbraunen mit, der sollte weiter in den Himmel wachsen.

Also, nächsten Tag bat Bremer mich, hinunterzugehen, einen Moment wenigstens. Ob ich nicht ne Radioröhre auftreiben kann.

Hab ich schon versucht. Nix zu machen.

Aber sie ging runter, auf die Straße und einmal um den Block. Am Großneumarkt hingen aus den unzerstörten Häusern weiße Laken. Die Engländer hatten eine Ausgangssperre erlassen.

Sie stieg die Treppe wieder hoch.

In der dritten Etage, eingequetscht in der eigenen Tür, wartete Frau Eckleben. Ham Se Tommys gesehen?

Nix.

Was machen Se denn nachts? Da zittert die Lampe in der Küche, wackelt die Decke.

War ja dunkel, konnte nicht sehen, wie mir das Blut ins Gesicht schoß. Ich mach Gymnastik.

Oben wartete Bremer. Die Straßen sind wie leergefegt. Ausgangssperre.

Laß uns warten, sagte er, besser still sein, sonst fallen wir nur auf, ist ja schön hier. Ich war fast so groß wie er, war ja mal einsachtzig, er mußte sich nicht herabbücken, Mund zu Mund, Auge in Auge, ohne den Kopf heben zu müssen.

Sie lagen auf diesem Matratzenfloß, zugedeckt, die Küche konnte man nur kurzfristig so bollerheiß kriegen, daß man einfach nackt liegen konnte, und sie erzählte ihm von ihrem Mann, dem Gary, der eigentlich Willi hieß und Barkassenführer war, sozusagen Kapitän auf einem kleinen Schiff, und Hafenarbeiter über die Elbe setzte, zur Deutschen Werft und zu Blohm und Voss. Wenn die Kinder morgens in der Schule waren, ist sie runter zu den Landungsbrücken, war ja nicht weit, und dann fuhr sie, vorn neben ihm im Steuerhäuschen, mit. Einfach über die Elbe fahren. Der Wind schob die Wellen hoch. Die Barkasse stampfte. Die Gischt schlug gegen die Scheiben. Er nahm sie in den Arm und sagte: Irgendwann fahren wir einfach los, übern Atlantik, fahren nach Amerika, suchen uns ne Insel. Dieses Gefühl: ein Kribbeln im Bauch, Wellen, richtige Wellen sind was Wunderbares.

Fünf Jahre waren sie verheiratet, da machte Gary auch nachts Fahrten. Zuerst dachte sie sich nichts, und dann an eine Frau. Das Sonderbare war denn doch, daß er, kam er am frühen Morgen zurück, mit ihr schlief. Hab Nachtschicht, sagte er. Ihm gehörte die Barkasse ja nicht, konnte also auch nicht bestimmen, wann er fahren wollte. Verdiente viel damals. Nachtfahrten wurden doppelt gelöhnt. Konnten sie sich was anschaffen: Wohnzimmergarnitur, Schrank, zwei Sessel, Standspiegel und vier Stühle, alles Birke und poliert. Er kaufte sich Anzüge, teure. Englisches Tuch, das Beste vom Besten. Und Schuhe. Amerikanische Schuhe. Der Lord vom Trampgang, so nannten sie ihn in der Nachbarschaft. Ihr war das peinlich. Paßte nicht in die Gegend. Lief rum wie n Direktor, rauchte Zigarren, Loeser & Wolf, auch echte Havannas. Manchmal wurde er nachts aus dem Schlaf geklingelt. Kam jemand, sagte: Los, mußt kommen. Er zog sich an, schnell, gab ihr einen Kuß. Und erst morgens kam er zurück. Muß Seeleute zu ihren Schiffen bringen, sagte er. Sonderbar war das.

Eines Nachts, sie schlief schon, sagte seine Stimme: Los, Lenakind, du mußt mit, schnell anziehen. Mantel über, Kopftuch. Draußen regnete es. Nein, es regnete nicht nur, es stürmte. Unten stand ein Taxi. Zum Hafen, Landungsbrücken. Da lag seine Barkasse. Sein Macker, mit dem er sonst fuhr, war nicht gekommen. Muß ja einer immer festmachen beim Anlegen. In der Nacht sind sie raus auf die Elbe, ein Seegang, die Wellen hatten Schaumkronen. Und dann stockdunkel. War gefährlich, das sah sie ihm an, wie er dastand, Steuerrad umklammerte, Zigarette kalt im Mund. Was is denn los? Er sagte nix, war damit beschäftigt, die Wellen richtig zu nehmen.

Taucht ein Kümo aus dem Regen auf. Er fährt langsam ran und nebenher Richtung Hafen. Ein Lichtzeichen vom Kümo: dreimal kurz, zweimal lang. Gary nimmt die Taschenlampe: viermal kurz, einmal lang, steuert dichter an den Kümo ran, hinters Heck, schaukelt mächtig. Jetzt, brüllt er, jetzt fang die Leine. Die warfen ne Leine rüber. Mach sie fest, richtig belegen! Kenn alle Knoten von meinem Vater, der is nämlich auf Ewern gefahren, also ich mach fest, bin naß, naß vom Regen, naß vom Wasser, kam die Gischt rüber, und Gary kurbelt, mußte mit der Barkasse immer sauber die Wellen schneiden, damit sie nicht vollschlägt. Kommen ja noch die Heckwellen vom Kümo dazu. Und dann, platsch, werfen die was über Bord. Das Kümo dreht ab. Los, ruft Gary. Hab immer viel Knööv gehabt, hab das rangezogen, gelb wars. Mann, Lena, denk ich, das ist ein Mensch, hängt inner Schwimmweste, bleiches Gesicht, ist ein Kind, und ich schrei. Was iss n, brüllt Gary. Treck, verdammi, treck! Un hol di fast! Ich zieh weiter, zieh das Bündel aus dem Wasser. Hol di fast, brüllt er. Ich habs reingezogen, etwas Helles, ein Paket, Wachstuch, darum so hell. War mir klar, was das war, was Gary da machte: Schmuggel.

Was ist denn das, hab ich gefragt, als ich wieder neben ihm im Steuerhäuschen stand. Nix, sagte er, weißt nix, hast nix gesehen. Ich fror, war ja pitschnaß. Klapperte mit den Zähnen. Er hatte den Arm um mich gelegt und pfiff. War gut aufgelegt. Mußte jetzt auch nicht mehr so kurbeln, weil wir mit dem Wind fuhren und die Wellen von achtern kamen. Gingen dann zu *Tante Anni*. Dort kriegte das Päckchen son Kerl, n abgebrochner Riese. Wir tranken einen Grog. Und noch einen. Gary spielte in der Kneipe aufm Kamm. Wünsch dir was, sagte er. *La Paloma*, sagte ich. Konnt wie kein andrer aufm Kamm blasen. Stück Seidenpapier drüber, blies die *Internationale*, *Brü-*

der zur Sonne zur Freiheit, jede Menge Schlager. Hätt er mit im Varieté auftreten können. Hatte nie n Instrument gelernt. Nur aufm Kamm blasen. Aber das beherrschte er so, daß die Frauen schwach wurden. Seine Seitensprünge wurden immer länger. Der Lord vom Trampgang. Blieb nächtelang weg, kam dann wieder, kroch ins warme Bett und ließ sich versorgen. Log. Sagte, is nix, wirklich, nahm mich in die Arme. Und ich glaubte, weil ich es glauben wollte. Wußte aber, es hilft nichts, gar nichts, wenn ich es ihm sage: Ich glaub das nicht. Soll man sich nichts vormachen. Die Liebe ist schön, weil man zu zweit ist, aber das ist auch das Leid, sagte Frau Brücker, drum kann man so schwer voneinander lassen. Und die meisten schaffen es erst, wenn sie wieder jemanden haben, mit dem sie zu zweit sein können. Sie lag neben ihm, wach, wußte seitdem, wann er tief schlief, wann er träumte und wann er schnarchte. Hat auch seine Ordnung. Na ja, aber damals, nach der Sturmfahrt auf der Elbe, sind sie nach Hause gegangen, eingehakt und leicht angeschickert vom Grog, sie im nassen Kleid. Mir war aber warm, von innen, durch und durch. Das konnte er.

Zwei Monate später, abends, er sitzt in der Küche, trinkt sein Bier, ißt Bratkartoffeln, da klingelt es, und draußen steht die Kripo. Haben ihn gleich mitgenommen. Drei Jahre hat er bekommen. Ein Jahr hat er abgesessen. Danach war es aus mit dem Barkassenkapitän. Hatte zum Glück auch den Lkw-Führerschein. Da is er dann gefahren, über Land. Kapitän der Landstraße. Nach Dänemark, Belgien, meist aber Dortmund und Köln. Und da hatte er irgendwelche Frauen. Kam nach Hause, um sich neue Unterwäsche zu holen. Er war, sie stockte, sah mich an mit ihren milchigblauen Augen, ein Lump. Ja, sagte sie, denkst, ich bin ungerecht, nee, er war n Lump, aber n Lump, der wunderbar aufm Kamm blasen konnte.

So hat sie es mir erzählt, so wird sie es auch dem fahnenflüchtigen Bremer erzählt haben, der neben ihr, in der Küche, auf den Matratzen lag, wohl kaum mit diesem dialektalen Anklang, der sich erst später, im Alter verstärken sollte, was ich übrigens auch bei meiner Mutter beobachten konnte, die, je älter sie wurde, desto stärker hamburgerte. Und Bremer? Bremer lag da und hörte zu. Er war 24, und er hatte, einmal abgesehen von ein paar Kriegserlebnissen, die sie nicht hören wollte, nicht viel zu erzählen. Aber so neben ihm liegen, war einfach schön. Körper an Körper. Auch so kann man miteinander reden, ohne ein Wort zu sagen. Mein Körper war stumm und taub. Fast sechs Jahre lang, mit der einen Ausnahme Silvester 43. Auch das hat sie Bremer erzählt. Für mich wars schön, zu reden, über die Zeit davor. Er hörte zu. Er hatte ja verschwiegen, daß er ne Frau hatte. Und ein kleines Kind. Vielleicht konnt er auch darum nix sagen. Ich hätt ihn auf jeden Fall mit raufgenommen und versteckt. Das hatte nix mit der Sympathie zu tun. Hätte jedem geholfen, der nicht mehr mitmachen wollte. Einfach versteckt. Is ja das Kleine, was die Großen stolpern läßt. Nur müssen wir viele sein, damit die auch fallen. Deine Großmutter, die war mutig. Die hat mal eingegriffen. Kennste die Geschichte mit m Knüppel? Nein, log ich, um sie noch mal aus dem Mund von Frau Brücker zu hören. Eine Geschichte, die ich als Kind von meiner Tante mehrmals gehört hatte und die sich im Sommer 43 zugetragen hatte. Die Großmutter, eine kräftige, grauhaarige Frau mit einem korsettgepanzerten Bauch, Tochter eines Bäckers aus Rostock, Trägerin des Mutterkreuzes, hatte sich nie für Politik interessiert. Sie war damit beschäftigt, fünf Kinder großzuziehen. Aber später demonstrierte sie gegen die Wiederbewaffnung. Sie wohnte im Alten Steinweg und war dort, weil sie eine so resolute Frau war, Luftschutzwart geworden. Nach dem ersten großen Angriff auf Hamburg, Juli 43, hatte sie zwei Kinder aus dem Feuer gerettet, ihre Haare waren versengt und ihre Wimpern nur noch kleine gelbbraune Klümpchen. Russische Kriegsgefangene schaufelten im Alten Steinweg den Schutt von der Straße, verhungerte Gestalten, die Köpfe rasiert. Sie wurden von lettischen SS-Soldaten mit Gummiknüppeln zur Arbeit angetrieben. Da ging die Großmutter, den Stahlhelm wie einen Einkaufskorb am Arm hängend, auf einen prügelnden lettischen SS-Mann zu und nahm dem Verdutzten den Knüppel aus der Hand. Viele waren Zeuge. Jetzt reichts, hatte sie gesagt. Sie war dann einfach weitergegangen, und niemand wagte sie anzufassen. Man muß nein sagen können, sagte Frau Brükker: wie der Hugo. Der ist mutig. Wickelt die Alten auf der Pflegestation. Hab viel falsch gemacht. Und oft weggesehen. Aber dann hatte ich ne Chance, ganz zum Schluß. Is vielleicht das Beste, was ich gemacht hab, einen verstecken, damit er nicht totgeschossen wird und auch andere nicht totschießen kann. Was danach kam, das hatte damit zu tun, daß alles so schnell vergangen ist. Verstehste? Nein, ich verstand nicht, sagte aber ja, damit sie weitererzähle.

Sie lagen in der Küche auf der Matratzeninsel und lauschten. Wie still es war. Einmal war ein Lautsprecherwagen zu hören. Eine Stimme, quäkend und verzerrt, von weitem. Hör mal, sagte er. Verstehst du was? Was der redet? Is das Deutsch? Sie lauschte. Unsinn. Sie begann zu erzählen, wie hier in den ersten Kriegstagen Verdunkelung geübt wurde, da sei auch immer einer mit dem Lautsprecherwagen herumgefahren. Werden die jetzt machen wegen den Russen. Haben auch Flieger. Sind doch so lahme Vögel, hab ich gehört. Still, sagte er, sei doch mal ruhig! Verdammt noch mal, er wurde einen Moment richtig wütend. Sie aber redete weiter, hartnäckig und hektisch laut. Er sprang auf und lief ans Fenster. Vorsichtig, hatte sie ihm zugerufen, mach das Fenster nicht auf. Der Lautsprecher verstummte. Das hörte sich, sagte er, wie Englisch an. Unsinn, das war einer mit so nem Hafendialekt, war der Kreisleiter, kenn den. Heißt Frenssen. Sie hielt die Bettdecke hoch. Aber er mochte sich nicht mehr hinlegen, zog sich seinen Marinestutzer über und ging zum Fenster. Da stand er mit seinen nackten dünnen Beinen und starrte hinunter.

Eine ferne, tiefe Stille. Bomber flogen über die Stadt, hin und wieder. Keine Detonation. Sie war eingeschlafen. Sie schmatzte im Schlaf. Er legte sich wieder hin. Einmal heulten nachts kurz die Sirenen, so als seufze die Stadt aus einem schweren Traum voller brennender Bäume, flüssigem Asphalt und schreiender Fackeln auf. Er hatte weit oben im Norden auf seinem Vorpostenboot Dienst getan, bis er dank seines Reiterabzeichens versetzt wurde. Reiten, das mochte er. Er mußte nur einem Pferd über die Kruppe streichen, einem Pferd, das geschwitzt hatte, und dann an der Hand riechen; dieser Geruch nach Luft, Pferdeschweiß und Leder, der an der Hand haftete, der erinnerte ihn an Petershagen, an die Weser, dort zogen sich die Wiesen bis an das Ufer, der Fluß drehte sich am Ufer entlang, nicht schnell, aber doch mit einer sichtbaren Strömung mit vielen kleinen Strudeln.

Morgens wachte er auf. Von der Straße hörte er Stimmen. Sogar ein Auto von der Querstraße, kein holzgasgetriebenes, ein anderes Geräusch, leiser als die Diesel. Die Leute sind auf der Straße, sagte er vom Fenster aus. Die Sperrstunde ist aufgehoben. Sie möge doch runtergehen, nachsehen, bitte, gleich. Sofort. Er drängte, als könne er es nicht abwarten, aus der Küche, aus der Wohnung zu kommen. Er ließ ihr nicht einmal Zeit, einen Kaffee zu machen, keine Umarmung. Er stand da, angezogen, als wolle er los, hinaus, wegstürzen, so sah er auf die Brüderstraße hinunter.

Sie ging zum Großneumarkt. Leute standen herum, sie redeten über die Engländer, die seit gestern in der Stadt waren. Die Stadt war von einem kommandierenden General in grauer auf einen anderen in khakibrauner Uniform übergegangen. Es hatte ein paar Plünderungen gegeben, aber Frauen waren nicht belästigt worden. Allerdings war an Kinder auch keine Schokolade verteilt worden. Wie immer hatten sich Schlangen an den Hydranten gebildet. Jedoch: Es waren keine deutschen Uniformen mehr zu sehen, keine grauen, keine blauen und schon gar keine braunen. Sie ging Richtung Rathausmarkt. Auf der Michaelisbrücke sah sie den ersten Engländer. Er saß auf einem Panzerspähwagen und rauchte.

Ein Barett auf dem Kopf, die Pulloverschultern mit Leder besetzt. Ein wenig erinnerte dieser Pullover an ein Kettenhemd. Er trug weite braune Hosen, Gamaschen, Schnürstiefel. Auch in dem Panzerspähwagen saß ein Tommy, der hatte Kopfhörer auf und sprach in ein Funkgerät. Der Mann auf dem Spähwagen hielt das Gesicht in die Sonne. Das also sind die Sieger, dachte sie, sitzen da und sonnen sich. Neben dem Panzerspähwagen saß ein Trupp deutscher Soldaten. Sie saßen auf dem Kantstein. Einer hatte einen Bollerwagen bei sich, darauf lagen ein Rucksack und zwei Tornister. Tornister, wie sie die Reichswehr gehabt hatte, mit Kalbfell bezogen. Es waren ältere Männer. Die Ausrüstung zusammengestoppelt. Dem einen, einem alten Mann mit einem Pflaster auf der Nase, hing eine Wolldecke wie eine riesige Wurst über die Schultern. Unrasiert und müde sahen sie aus. Der Engländer beachtete die Deutschen nicht, die Deutschen nicht den Engländer. Nur daß sie nicht das Gesicht in die Sonne hielten. Die meisten saßen da und starrten vor sich hin. Einer hatte sich den Knobelbecher ausgezogen, die löchrige Socke auf das Pflaster gelegt und pulte sich zwischen den Zehen. Hin und wieder roch er am Finger.

Als sie in die Brüderstraße kam, sah sie den Auflauf vor dem Haus. Nachbarn standen da, Fremde, auch zwei deutsche Polizisten. Und ihr erster Gedanke war, Bremer wird verhaftet. Vielleicht hatte ihn irgend jemand entdeckt, vielleicht aber auch hatte er sich selbst aus der Wohnung gewagt und von Frau Eckleben erfahren, der Krieg ist vorbei. Lena Brücker drängte sich durch die

Leute im Treppenhaus hindurch. Frau Claussen stand da und meine Tante Hilde, die unten, in der ersten Etage, wohnte, in deren Küche ich als Kind so gern saß. Der Arme, sagte Frau Eckleben: Er hat die Schande nicht ertragen. Was denn, fragte Lena Brücker, wer denn um Gottes willen und spürte ihr Herz wie einen eisigen Stein. Tante Hilde zeigte zum Wohnungseingang von Lammers, der im Parterre wohnte, wo später der Uhrmacher Eisenhart einziehen sollte. Ein Mann versuchte, die Dohle von Lammers einzufangen, die aus dem offenen Käfig entflogen war und aufgeregt im Zimmer hin und her flatterte. Wo is Lammers? Frau Eckleben zeigte zum Hausgang, dort, im Dunkel, vor der Tür zum Luftschutzkeller, an einem ans obere Treppengeländer geknüpften Seil, hing Lammers. Er hatte seine Blockleiteruniform an, und der Kopf hing zur Seite, als wolle er sich irgendwo anlehnen, an eine Schulter oder Brust. Er mußte sich den großen Weltkrieg-I-Stahlhelm aufgesetzt haben, denn der war ihm vom Kopf gefallen und lag jetzt unter ihm wie ein Pißpott.

Sie schloß oben die Wohnungstür auf, überlegte sich, ob sie jetzt nicht sagen sollte, der Krieg ist vorbei, jedenfalls für Hamburg, im Treppenhaus hängt Blockwart Lammers an einem Seil, da fragte Bremer: Sind die Engländer da? Ja, sagte sie, ich hab sie gesehen, sie sitzen auf der Michaelisbrücke, zusammen mit deutschen Soldaten. Sie sonnen sich.

Siehst du, sagte er, ich wußte es, es geht los, gegen Rußland.

Ja, sagte sie, vielleicht. Die Zeitung? Zeitungen gibt es noch nicht, Neuigkeiten werden über Lautsprecher und durch Rundfunk bekanntgegeben. Die Regierung Dönitz hat aufgerufen, Disziplin zu wahren, niemand darf seinen Posten verlassen. Er nahm sie in die Arme. Die Geschäfte sollen wieder öffnen. Die Behörden arbeiten. Morgen geh ich zur Arbeit. Sie küßte ihn.

Und ich, sagte er, was soll ich tun?

Warten, erst mal.

5

Es war der vierte Nachmittag, da wünschte Frau Brücker hinauszugehen.

Es regnet und stürmt, sagte ich.

Eben darum. Ich mag gern im Regen rumlaufen, und Hugo mag ich nicht fragen, der hat genug am Hals. Der Junge muß ja nicht noch naß werden. Weißte, was ein Stamm der Südsee-Insulaner mit seinen Alten macht? Die biegen eine Palme runter, die Alte muß sich dran festhalten, dann wird das Tau gekappt, und hui, ab gehts. Wenn die Alte noch so viel Kraft hat, sich festzuklammern, is es gut, kann sie wieder von der Palme steigen, wenn sie sich aber nicht festhalten kann, dann gehts ab in den Himmel. Hübsch, nich.

Ich fragte sie, wohin ich sie fahren solle.

Zum Dammtorbahnhof, wenns geht. Dort habe sie nämlich mal als Kind gestanden, mit der Schulklasse, und den Kaiser begrüßt, der, wenn er nach Hamburg kam, immer am Dammtor ausstieg. Heil dir im Siegerkranz, hat die Klasse gesungen, aber sie in derselben Melodie: Bratkartoffeln mit Heringsschwanz. Ihr Vater war Sozi und in der Gewerkschaft gewesen, ein Mann mit einer gewaltigen Glatze.

Sie ließ sich von mir den Regenmantel aus dem Schrank geben, einen dunkelgrünen gummierten Kleppermantel, gut fünfzig Jahre alt. Über den braunen Topfhut zog sie einen Hutschoner, eine Plastikhülle, die vorn mit zwei

Bändern zugeknotet wurde. Sie tat das alles mit ruhigen, tastenden Bewegungen. So, sagte sie, jetzt kanns losgehn. Vor dem Bahnhof hielt ich, half ihr aus dem Wagen, sagte, sie müsse einen Moment warten. Ich fand erst nach einiger Zeit und dann auch noch recht weit entfernt eine Parkmöglichkeit. Ich rannte zum Bahnhof zurück, dachte, sie sei womöglich ungeduldig geworden, losgegangen und habe sich im Bahnhofsgewühl verirrt. Ich hatte einen Menschenauflauf vor Augen und in dessen Mitte wie ein verirrtes Kind Frau Brücker. Sie stand aber in ihrem flaschengrünen Regenmantel, wo ich sie abgesetzt hatte, hielt sich am Straßengitter wie an einer Schiffsreeling fest und streckte das Gesicht, als hielte sie Ausschau, den Regenböen entgegen. Sie wollte unbedingt unter der Eisenbahnbrücke durchgehen, dort waren früher die Rückfenster der Bahnhofsküche, und danach sollte ich sie an der Villa in der Dammtorstraße vorbeiführen, in der früher eine Polizeiwache war, schließlich wollte sie noch zu dem Kriegerdenkmal des 76. Regiments. Ein großer Sandsteinblock, um den in Lebensgröße eine Kompanie Soldaten marschiert: Deutschland muß leben, und wenn wir sterben müssen.

Das veddelt einen doch, sagte sie.

Ich beschrieb ihr den Zustand des Denkmals, das von Pazifisten mit roten und schwarzen Farbeiern beworfen worden war. Einigen Soldaten war das Gesicht weggemeißelt worden. Ein Protest.

Versteh schon, sagte sie. Aber zwei Soldaten haben ne Pfeife im Mund. Die hab ich immer meinen Kindern gezeigt. Die andern sehen alle gleich aus. Ich ging mit ihr um das Denkmal und suchte die Soldaten mit der Pfeife. Ihre Gesichter waren unverletzt.

Gut so, sagte sie.

Sie wollte wieder zurück. Langsam gingen wir, sie hielt sich an meinem Arm fest, ohne zu reden, zum Haupteingang des Bahnhofs. Ich denke, sie wollte den Regen im Gesicht spüren, wollte von nahem die Geräusche der Stadt hören: unter der Brücke das Dröhnen der Eisenbahnräder, das Anfahren der Autos, Gesprächsfetzen, eilige Schritte, Lautsprecheransagen vom Bahnhof. Ich vermute, sie wollte an einer Stelle vorbeigehen, die in ihrem Leben eine besondere Bedeutung gehabt hatte. Ich wagte nicht, sie zu fragen.

Am Eingang des Bahnhofs ließ ich sie wieder warten, holte den Wagen, hielt, sprang aus dem Wagen, zog sie zum Auto, hinter uns das aggressive Hupen, wir müssen uns beeilen, sagte ich, half ihr, nein, schob sie auf den Sitz, nervös geworden von dem Hupen der ungeduldigen Idioten. Sie sagte nichts, aber ich sah, sie hatte sich weh getan, sich im Rücken etwas gezerrt. Ich fuhr sie ins Heim zurück. Sie sagte, sie sei erschöpft, heute könne sie nichts mehr erzählen. Morgen auch nicht.

Es war der Tag, an dem wir nur ein paar Sätze miteinander gesprochen hatten. Doch als wir durch den Regen gingen, wurde mir unter dem zarten Druck auf meinem Arm die Kraft deutlich, die es diese Frau gekostet hatte, ihr Leben zu leben und dabei ihre Würde zu wahren.

Erst am übernächsten Tag fuhr ich wieder zu ihr nach Harburg hinüber.

In der Zwischenzeit hatte ich einen Freund angerufen, einen Engländer, Ethnologe und Reisender aus Leidenschaft. Ich hatte ihn nach dem Curry gefragt, Götterspeise. Unsinn, Curry, so in Dosen verpackt, das ist McDonald auf indisch, Curry kommt vom tamilischen kari, und das heißt soviel wie Sauce oder Tunke. Dem Essen werden verschiedene Gewürze nach Geschmack abgestuft beigegeben, eine kombinatorische Kunst, die individuell beliebig variiert werden kann. Bei 16 oder gar 20 verschiedenen Gewürzen gibt das schier unendliche Geschmacksvarianten. Ein Mittel gegen die Niedergeschlagenheit? Ja, sagte Ted, der ein überzeugter Rationalist ist, kann durchaus sein. Chili beispielsweise beschleunigt den Kreislauf und damit das Wohlbefinden. Ingwer und Kardamom gelten als Depressionskiller und Aphrodisiaka. Dieser Lachtraum, wenn das eine gute Mischung war, nicht unwahrscheinlich. Er habe einmal einen Curry gegessen und danach geträumt, eine Zibetkatze zu sein, ausgerüstet mit einer fabulösen Duftdrüse. Als er aufwachte, mußte er ins Freie fliehen.

Ich war auch in die Hamburger Staatsbibliothek gegangen, hatte mir die Mikrofilme von den letzten Ausgaben der Hamburger Zeitung bis zum 2. Mai und die erste vom 7. Mai heraussuchen lassen. Ich wollte es nicht glauben, aber der Archivar versicherte mir, es seien dieselben Schreiber gewesen, die noch in der einen Woche von Endsieg und Kampf bis zum letzten Mann geschrieben und in der darauffolgenden die Beschlüsse des britischen Stadtkommandanten interpretiert hatten. Und dennoch, etwas hatte sich in diesen wenigen Tagen verändert. Die Wörter hatten ein wenig von dem wiedergewonnen, was sie bedeuteten. Sie verzerrten die Wirklichkeit nicht mehr derart wie zuvor. Klar doch, sagte der Archivar: Wer die Kapelle zahlt, bestimmt die Musik. All die Begriffe wie Abwehrschlachten, Wunderwaffen, Volkssturm waren verschwunden, und selbst das den Mangel verklärende »Wildgemüse«, das noch am 1. Mai als ausgesprochen schmackhaft gepriesen worden war, hieß nun, sieben Tage nach der Kapitulation, Brennessel und junger Löwenzahn. Das Rezept war allerdings dasselbe. Natürlich ist es ein Unterschied, ob man Wildgemüse oder einen Löwenzahn-Salat ißt, bei dem man sogleich an Stallhasen denken muß.

Das Leben ging weiter. Irgendwie, sagte Frau Brücker. War einfach schön zu wissen, daß, wenn man nach Hause kommt, jemand auf einen wartet und dann noch alles aufgeräumt ist. Bremer machte, wie bei der Marine gelernt, klar Schiff. Er hatte ja auch sonst nix zu tun. Die Küche war nie so tipptopp, sagte Frau Brücker, wie in der Zeit, als Bremer da oben saß. Die Töpfe waren nach Größe ineinandergestellt, die Griffe in einer Richtung übereinander. Die Schüsseln nach Größe geordnet. Die Pfannen nicht nur abgewaschen, sondern mit Sand ausgescheuert. Die Holzbretter lagen wie Dachziegel gestapelt auf der Anrichte, die Messer gewetzt, blitzten an der Wand. Und sogar der Herd, den sie seit Jahren drinnen nicht geputzt hatte, war so blitzblank, daß sie noch ein Jahr später zögerte, den ersten Braten hineinzuschieben. Bremer stand, wenn sie kam, im Korridor, umarmte sie, sie küßten sich, aber von Tag zu Tag flüchtiger, weil sie die innere Anspannung in seinem Rücken spüren konnte, so stocksteif stand er da, er konnte es nicht abwarten, endlich fragen zu können, was draußen los sei, ob es Zeitungen gäbe, ob sie eine Radioröhre gefunden habe, wo die Front jetzt verlaufen würde. Also mußte sie berichten. Dabei mußte sie nicht viel lügen. Es blieb ja zunächst fast alles beim alten.

Zwei englische Offiziere waren in der Behörde erschienen, ein Captain und ein Major. Beide sprachen in einem Hamburger Tonfall deutsch. Sie prüften die Personalakten der leitenden Herren. Dann wurde Lena Brücker von dem Captain überprüft. Sie sind Leiterin der Kantine? Ja, aber nur ersatzweise. Waren Sie Parteimitglied? Nein. Andere Hilfsorganisationen? Nein. Der Captain wollte wissen, welche der Herren in der SA oder SS waren. Und da sagte Lena Brücker: Da fragen Sie die am besten selber. Können Sie gleich sehen, wer lügt. Der Mann verstand, lachte und sagte O. K.

Der Jeep, das Corned beef und der deutsche Landser, einfach unschlagbar. Das hatte Dr. Fröhlich gesagt. Fröhlich redete nach dem englischen Major, der nur knapp mitgeteilt hatte, man müsse die Versorgung der Bevölkerung sichern. Darum sollten zunächst einmal alle weiter an ihren Arbeitsplätzen bleiben. Und dann sprach, wie gesagt, Dr. Fröhlich, nicht in brauner Parteiuniform, nicht in Breeches, Langschäftern, sondern in einem schlichten grauen Anzug, am Revers nicht das Parteiabzeichen, sondern ein kleines Hamburger Wappen. Dr. Fröhlich sprach von dem Karren, der in den Dreck gefahren worden sei, von wem denn, fragte Lena Brücker den neben ihr sitzenden Holzinger. Na, von den braunen Würsteln. Fröhlich sprach von den gemeinsamen Mühen, diesen Karren jetzt wieder aus dem Dreck herauszuziehen, dieser Kotzbrocken, sagte Lena Brücker schon etwas lauter, Fröhlich sagte Hauruck und nochmals Hauruck, und wir müssen jetzt arbeiten bis – da hielt es Lena Brükker nicht mehr, es platzte regelrecht aus ihr heraus – laut und deutlich: zum Endsieg. Endsieg, sagte er. Er stutzte, habe ich Endsieg gesagt, nein, sagte er, Neuanfang, natürlich, und Wiederaufbau, und dann sagte er, wie er es als Bub in Bayern gelernt hatte, Grüß Gott, wollte dem englischen Major, der doch, wie Dr. Fröhlich früher gesagt hätte, zur Familie der Itzigs gehörte, die Hand reichen. Der Major übersah aber einfach die Hand, so daß Dr. Fröhlich einen Augenblick dastand, peinlich irritiert, um sodann grußlos abzutreten. Aber er trat nicht als Behördenleiter ab, jedenfalls noch nicht, er war zunächst einmal unentbehrlich, dieser kompetente Verwaltungsjurist. Erst einen Monat später wurde er abgelöst, kam in ein Internierungslager für ein Dreivierteljahr, kam dann in die Behörde zurück, zurückgestuft, wurde Personalleiter, und eine seiner ersten Handlungen sollte sein, Lena Brükker zu entlassen. Aber so weit sind wir ja noch nicht, sagte Frau Brücker. Sie hielt das Pulloverteil hoch. Die grüne Tanne breitete schon ihre Zweige in das Blau des Himmels. Es begann der Abschnitt des Pullovers, der von ihr ein häufigeres Unterbrechen erforderte, das Nachzählen, Tasten ... Inzwischen wurde auch ich einbezogen, mußte sagen, wann der nächste stilisierte Zweig der Tanne kam, sie arbeitete jetzt mit drei Fäden, blau für den Himmel, grün für die Tanne und einem Hellbraun, das eine letzte Hügelkuppe hoch- und ins Blau wirkte. War das einzige Mal, daß ich inner öffentlichen Versammlung was laut gesagt hab, sagte sie. Der Holzinger meinte damals schon: Die Nazis wachsen nach wie die Fingernägel der Leichen.

Holzinger blieb leitender Koch der Kantine. Er wurde,

nachdem die Engländer seine für sie zubereitete Gulaschsuppe gegessen hatten, nicht einmal mehr gefragt, ob er in der Partei gewesen sei.

Der Major war 1933 aus Hamburg weggegangen. Er konnte damals noch seine Bibliothek mitnehmen. Der Captain war kurz vor Kriegsausbruch geflohen, hatte nur eine Aktentasche bei sich gehabt, darin Rasierzeug, einen Pyjama, das Foto seiner Eltern und seinen mit dem J gestempelten Paß. Elegant sahen die beiden aus in ihren Khaki-Uniformen mit den übergroßen Seitentaschen. Hatten viel weniger Leder am Körper als die deutschen Soldaten, die immer wie schwitzende Pferde rochen, sagte die geruchsempfindliche Frau Brücker. Der Captain hatte Lena Brücker eine Zigarette angeboten, und sie hatte eine genommen. Als er ihr Feuer anbot, sagte sie, sie wolle, wenn er nichts dagegen habe, die Zigarette nach der Arbeit rauchen. Der sah mich immer so an, na, ich weiß nicht wie, hätte gern mit mir fraternisiert, was ja zu der Zeit den Engländern noch verboten war. Daraufhin bot Captain Friedländer ihr jeden Tag zwei, manchmal drei Zigaretten an, die abends Bremer rauchte. Eine vor dem Abendessen, eine nach dem Abendessen und eine, nachdem sie sich auf dem Matratzenfloß hatten treiben lassen.

Bremer zündete sich die Zigarette an, Players, zog den Rauch ein, der in tiefsten Tiefen verschwand und dann nach einem Moment in kleinen Wölkchen wieder erschien. Meine Güte, wer solche Zigaretten herstellt, gewinnt auch Kriege. Bremer hatte die Bleistifte, rote, grüne, gelbe und braune, angespitzt, der Atlas lag auf dem Tisch. Große Lagebesprechung beim Admiral. Er hatte die Stellungen der Engländer, Deutschen und Amerikaner eingezeichnet und wollte nun wissen, wo nach den letzten Nachrichten die Truppen standen. Sie hatte in der Kantine gehört, daß Montgomery weiter nach Osten vorrückte, der Roten Armee entgegen, während Eisenhower seine Truppen an der Elbe stehenließ. Also Wismar, Magdeburg, Torgau.

Lena Brücker hatte das Wort Kapitulation für die Stadt Hamburg verschwiegen, das war alles. Was dann geschah, bedurfte nur weniger Stichworte, um die Phantasie von Bremer in die Richtung zu lenken, in die sich die heimlichen oder auch offen ausgesprochenen Wünsche vieler bewegten: Es könne kurz vor der totalen Niederlage noch zu einer Wende kommen. Als Roosevelt gestorben war, hatte nicht nur Hitler auf ein neues Wunder des Hauses Brandenburg gehofft. Mit den Amis und Tommys gemeinsam gegen den Iwan. Das deutsche Heer. Abgehärtet in eisigen Wintern, auf verschlammten Rollbahnen, in trockenen Steppen. Vielleicht war der Krieg doch noch nicht ganz verloren, vielleicht konnte man sich noch einmal an der Katastrophe vorbeimogeln – und das meinte auch: an der Schuld.

Hatte ja, sagte sie, was Rührendes, wie er dasaß, wenn ich abends aus der Behörde kam. Mußte dann immer unwillkürlich an meinen Jürgen denken und sagte mir, hoffentlich gehts dem Jungen gut. Nur, der Jürgen war sechzehn und der Bremer doch immerhin 24. Andererseits war ich es ja, die ihm den Frontverlauf vorgab, den er dann einzeichnete, er gab dann die weiteren Ziele vor, wohin die Vorstöße gehen würden, Richtung Berlin natürlich, Richtung Breslau, die eingeschlossene Stadt, die immer noch verteidigt wurde, heldenhaft. Es geht also voran, sagte er, bekam aber plötzlich diese steile, fragende Falte, etwas Nachdenkliches, nein, Ängstliches breitete sich in seinem Gesicht aus. Denn je erfolgreicher die Truppen waren, je weiter sie wieder gen Osten vorstießen, desto länger zog sich der Krieg hin, und das hieß, um so länger saß er in dieser Wohnung, Wochen, Monate und – Schweiß brach ihm aus – Jahre. Natürlich wünschte er sich, daß der Krieg zu Ende ginge, so schnell wie möglich und, wenn möglich, auch noch siegreich. Aber selbst dann, wenn es zu einem Friedensschluß kommen sollte, saß er hier fest, und genau das wird wohl der Augenblick gewesen sein, als ihm erstmals der Gedanke kam, einer Frau in die Falle gegangen zu sein. Freiwillig zwar, aber, wie sich jetzt herausstellte, doch in die Falle. Wenn er sich genau prüfte, war es ja nicht nur die Angst vor den Panzern, vor den Engländern gewesen, sondern er war geblieben, weil ihm an jenem verregneten kalten Morgen, neben Lena liegend, die Hand auf ihrem warmen weichen Brustkissen, der Gedanke aufzustehen, in ein naßkaltes Erdloch zu steigen und sich totschießen zu lassen, so ganz und gar abwegig, ja pervers erschienen war. Und in dem Moment hatte sie gesagt: Du kannst bleiben. Hätte er sich irgendwo in einer Scheune versteckt, in einem leerstehenden Schrebergartenhäuschen, wäre er, wenn die Engländer angerückt wären, herausgekommen und hätte sich gestellt, hätte der englischen Militärpolizei, die ja mit den deutschen Kettenhunden zusammenarbeiten würde, sagen können: Ich habe den Anschluß an meine Einheit verloren. Zuletzt war ein solches Durcheinander gewesen, daß es nicht weiter aufgefallen wäre. Allenfalls hätte ihn ein Anpfiff erwartet, jetzt hingegen: das Peloton.

Dieses Gefühl, in einer Falle zu sitzen, ließ ihn tagsüber in der Wohnung hin- und hertigern. Ließ ihn, nachdem er die Küchenarbeit gemacht, also abgewaschen, geputzt, gewischt, poliert, gescheuert hatte, zwischendurch immer wieder aus dem Fenster in die Straße gucken, ins Wohnzimmer gehen, vom Wohnzimmer ins Schlafzimmer, von dort zurück in die Küche, ein Wort in das Kreuzworträtsel eintragen, dann wieder zum Fenster.

Es war ein ewiges leichtes Schaukeln der Decke, ein leises Quietschen, sagt mir Frau Eckleben, die unter Frau Brükker gewohnt hatte. Es war nicht so stark, war nicht so, daß man Schritte hörte, aber doch hörbar, nein, spürbar, ganz deutlich, daß da oben jemand war.

Ich sitze in einer Wohnung, eingerichtet mit skandinavischen Möbeln, in hellen blauen und grauen Tönen, ein beigefarbener Teppich. Die Tochter von Frau Eckleben ist Lehrerin und steht bereits vor der Pensionierung. Sie hat für meinen Besuch Kaffee gekocht, den selbstgebakkenen Pflaumenkuchen hingestellt. Ich ließ mir einen kräftigen Klacks Sahne geben. Frau Eckleben war früher bei der Deutschen Reichspost und dort im Telegraphenamt beschäftigt. Sie betont, daß sie sich jeden Morgen kalt dusche, lobt ihr genaues Gedächtnis, das tatsächlich erstaunlich gut ist. Auch körperlich ist sie rüstig, geht jeden Tag zwei Stunden durch Sasel spazieren. Jedesmal, wenn sie die Kaffeetasse zum Mund führt, spreizt sie den kleinen Finger weit ab. Erzählt von der Kriegszeit. Zwischendurch steht sie auf, sagt zu ihrer ebenfalls aufspringenden Tochter, laß man, Grete, du mit deinem Kreuz, ich mach das schon, geht zum Wohnzimmerschrank, bückt sich, zieht eine Schublade auf und holt ein Fotoalbum heraus, zeigt sich mir als junge Frau, wie sie sagt. Da war sie 40. Das is mein Mann, Georg, is bei Smolensk gefallen, war Wachtmeister bei der Artillerie. Noch n Täßchen? Ja, bitte. Weder sie noch Frau Brücker weiß, daß ich weiß, nicht Lammers hat die Berichte für die Gestapo geliefert, sondern sie, Frau Eckleben. Ich habe die Berichte im Archiv nachgelesen, habe gelesen, was sie über Wehrs zu Protokoll gegeben hatte. Daraufhin wurde Wehrs verhaftet und verhört, das heißt gefoltert: »W. hat sich über den Führer folgendermaßen geäußert: Jemand, der zum Krieg hetzt, um das Geschäft mit Thyssen und Krupp zu betreiben. Die Rüstung macht die Politik, der kleine Mann hält die Knochen hin. 23.4.36.«

»W. hält im Hausflur regelrechte Reden: Die NSDAP sei eine Verbrecherpartei. Horst Wessel ein verkrachter Student und Zuhälter. Die Nazibonzen, insbesondere Hermann der Dicke (ein Gestapowitzbold hatte an den Rand geschrieben: der OB der Luftwaffe), sind Halunken, Strolche, die in Saus und Braus leben. Spielernaturen, Hochstapler, Morphinisten, Verbrecher. 6. Juli 1936.«

Das muß kurz vor seiner Verhaftung gewesen sein. Ich habe auch einen Eintrag über Lena Brücker gefunden. Eingetragen sind diese Stimmungsberichte nach Häusern und Hausnummern.

»L. Brücker hetzt nicht offen, macht aber oft zersetzende kritische Bemerkungen. Beispielsweise zur Versorgungslage bei den Brennmitteln. B: Ich glaube nicht, daß der Führer so kalte Füße hat wie ich. (Umstehende lachen.) Oder: Die Juden sind auch Menschen. Oder: Das Volk liebt den Führer. Wenn ich das schon hör. Ich liebe meine Kinder. Und früher meinen Mann. Ich weiß, wohin das führt. 15. 2. 43.«

Eine Eintragung der Gestapo über Lammers: »Überzeugter Nationalsozialist. Lehnt aber Berichte über Mitbewohner ab. Ungeeignet!« Wofür er ungeeignet war, steht leider nicht dabei. Vielleicht könnte man auch das herausfinden. Ich begann zu blättern, Akten zu bestellen, aber dann ließ ich sie ungelesen wieder zurückgehen. Dieses an den Rändern zerfledderte, bräunlichgelbe Papier wäre eine andere Geschichte. Ich wollte ja nur herausfinden, wie die Currywurst entdeckt wurde.

Noch n Täßchen?

Nein, danke.

Die Brückersche hatte n Mann oben versteckt. Dachte ja erst, das sei ein Deserteur, womöglich ihr Sohn, der war ja Flakhelfer. Aber dann, nach der Kapitulation, dachte ich, ist vielleicht jemand von der Partei oder einer von der SS. Die Jungs wurden nach der Kapitulation doch verfolgt. Waren doch alle Idealisten gewesen. Kamen nach Lothringen in die Kohlengruben. Obwohl, sagt sie, so jemanden zu verstecken, hatte ich der Brückerschen nicht zugetraut, bei deren sonstiger Gesinnung.

Ich hätte der alten Frau Brücker erklären können, warum Frau Eckleben sie plötzlich so freundlich gegrüßt hatte, als sie die Treppe hinaufgestiegen war. Lena Brükker wußte nicht, wie ihr geschah, Frau Eckleben steckte ihr mit einem verschwörerischen Augenzwinkern eine Packung Zigaretten Marke Overstolz zu. Sie rauchen ja wieder, sagte Frau Eckleben. Und zwinkerte wieder.

Oben empfing sie Bremer, umarmte sie nicht, küßte sie nicht, sondern fragte: Hast du eine Zeitung?

Nee. Die Anweisungen werden über Rundfunk gegeben, auch dic Nachrichten. Und dann hängen die Nachrichten am Gänsemarkt in den Schaukästen der Hamburger Zeitung aus. Und was steht drin? Die Reichsregierung Dönitz verhandelt mit den Engländern über die Wiederherstellung der Zugverbindungen Hamburg-Flensburg. Der alltägliche Kram. Wieso gibt es kein Papier? Das größte Papierlager in Norddeutschland ist in Brand geraten. Wodurch? Brandstiftung. Das hatte sie in der Zeitung gelesen: Ein kleines Papierlager war abgebrannt. Ob durch Selbstentzündung oder Brandstiftung, war noch nicht geklärt.

Brandstiftung, sagte Bremer, bestimmt die SS.

Woher weißt du das?

Natürlich, sagte er, klar, die SS. Es wird Auseinandersetzungen geben zwischen der SS und der Marine sowie Wehrmacht, klar doch, sonnenklar. Dönitz wird mit denen aufräumen. Die Marine hat ihre Pflicht getan, war an keiner der Schweinereien beteiligt, weder an dem Attentat auf den Führer noch an irgendwelchen Erschießungen von russischen Kriegsgefangenen.

Übrigens, sagte Lena Brücker, Luftangriffe gibts nicht mehr, der Russe kommt mit seinen Bombern nicht hierher. Lammers ist als Luftschutzwart abgelöst worden. Er ist abgereist. Wo der jetzt wohl ist? Ich hab mir den Schlüssel zurückgeben lassen. Kann also keiner reinkommen. Aber mußt auch weiter leise sein, ohne Schuhe laufen. In vierzehn Tagen kommt Papier aus Amerika. Ist schon unterwegs. Auf den Liberty-Schiffen. Das war die Zeit, die ich mir gegeben hatte, noch vierzehn Tage, dann wollte ich ihm die Wahrheit sagen.

An einem Samstagmittag kam Lena Brücker aus der Behörde und legte ein kleines, in eine durchsichtige Folie eingeschweißtes Paket auf den Tisch. Was ist das? Er drehte es in der Hand hin und her. Wasserdicht, darin zu sehen kleine Päckchen, Kekse, Drops, Dosen. Eine Eiserne Ration, sagte sie. Aus alten amerikanischen Armeebeständen. Die waren an ein Altersheim und ein Waisenhaus verteilt worden. Der Captain hatte Lena ein Päckchen geschenkt.

Die Päckchen werden, erzählte Lena Brücker, über den russischen Stellungen abgeworfen. Propaganda. Statt Flugblättern werfen die Amis solche Päckchen ab. Fallen an kleinen Fallschirmen runter, Nektar und Ambrosia. Bremer bohrte mit einem Messer vorsichtig den Plastikbeutel auf. Wie zweckmäßig das war, luftdicht eingeschweißt, konnte nicht naß werden und nicht austrocknen: die salzigen Kekse, nicht schlecht, Brausepulver, eine kleine Dose mit Honig, eine Dose mit Käse, eine kleine Dose mit Wurst, eine Rolle Drops. Vier Kaugummis. Eines dieser in Stanniolpapier eingepackten Plättchen wickelte er aus, brach es durch, gab Lena die andere Hälfte. Er steckte zum ersten Mal in seinem Leben ein Kaugummi in den Mund. Ein Plättchen wie Pappe, es waren alte Armeebestände, das angekaut zu einer bröseligen Masse wurde, die sich dann aber langsam verdichtete und durch Beimischung von Speichel konsistent wurde. Sie saßen am Tisch und kauten. Sahen einander an, wie sie die Unterkiefer hin- und herschoben, ein Kauen, das die Zähne spüren ließ, ein Kauen, das die Muskeln härtete, ein Kauen, das einen Geschmack erzeugte, ich weiß nicht wie – lirum larum Löffelstiel. Sie sahen sich kauend an und lachten beide los. Wonach schmeckt dein Gummi? Er kaute und kaute. Was sollte er sagen? Er kam sich vor wie in einer Falle: Wonach schmeckt das? Nichts, nichts, hätte er sagen müssen, nichts. Sollte er sagen Erdbeere? Waldmeister? Er gab schließlich ein langgezogenes Tja von sich. Meins, sagte sie, schmeckt nach Zahnpasta, Minze, sagte sie. Ja, sagte er, genau, Pfefferminze, aber es ist wohl schon recht alt. Ich schmeck es nur noch von fern. Nein, wenn er ehrlich war, er schmeckte gar nichts.

Sie öffnete das Fenster. Der Wind drückte die Wärme in die Küche. Die Sonne spiegelte sich in den gegenüberliegenden Fenstern. Es war gleißend hell. Sie zog sich aus, ohne Scham, nackt, wie sie das früher nie getan hatte, und das, obwohl sie inzwischen nicht mehr zwanzig war, legte sich zu ihm auf das Matratzenfloß. Sie lagen, auf die Arme gestützt, tranken ein paar Gläschen Birnenschnaps und knabberten die salzigen Kekse. Sie wollte sich auf die andere Seite legen, auf die linke. Die rechte Schulter tat ihr weh, auch der Rücken. Auf der Seite hatte sie die Tasche mit den aus der Kantine geklauten Kartoffeln hergeschleppt. Wo tut es weh? Hier, sie tippte auf die Wirbelsäule, in der Höhe des Beckens. Hoffentlich krieg ich keinen Hexenschuß.

Leg dich hin, sagte er, auf den Bauch! Locker! Laß die Hinterbacken fallen! Immer noch angespannt! Ganz lokker! Er kniete sich über sie und begann, ihre Schulterblätter zu massieren, dann die Wirbelsäule, hinunter bis zum Becken. Wo er das gelernt habe, diese zarten und doch festen Griffe? Pferdepflege. Sein Vater war doch Tierarzt. Sie lachte, daß sie einen Schluckauf bekam. Also mußte sie die Luft anhalten und bis 21 zählen, während er mit

Zeige- und Mittelfingerknöcheln die Wirbelsäule hinunterwanderte, links, rechts, immer in die Wirbelkuhlen knubbelte, zart, aber doch fest, bis zu den Hüften, dort übersprang zu den beiden Hüftgrübchen, darin mit den Daumen drückend kreiste, bis sich ihr wohlig die Nakkenhaare aufstellten, bis sie abermals einen Schluckauf bekam. Dann hilft nur eins, sagte er, du mußt einen Katzbuckel machen und jetzt das Kreuz durchdrücken, den Kopf nach unten, die Beine etwas spreizen, locker, ganz locker und den Hintern hoch, noch höher, so ists gut. Und jetzt tief durchatmen. Locker! Ausatmen! So ists gut. Huchhh.

Tatsache, das hilft, sagte Frau Brücker, grinste und knackte mit dem Gebiß.

Am nächsten Montag, abends, sagte Bremer zu Lena Brücker: Die Leute auf der Straße gehen schneller. Schneller? Ja, etwas, ein wenig nur, aber sie gehen schneller. Sonderbar.

Nein, ganz einfach, sagte sie, es geht wieder voran. Die Leute haben ein Ziel.

Und noch etwas war ihm aufgefallen, ein paar Frauen und Männer standen auf der Straße, vereinzelt, und sprachen die Vorbeigehenden an, wie es Nutten oder Strichjungen tun, nur daß es meist alte Männer und irgendwelche schäbig gekleideten Hausfrauen waren. Am darauffolgenden Tag sah er einen Beinamputierten an der Ecke zum Großen Trampgang stehen, den rechten Beinstummel auf die Handstütze der Krücke gestützt, bekleidet mit einer gräßlich ins Grünbraun umgefärbten Uniform, die nun wie eine fehlfarbene Forstuniform aussah. Vielleicht war der Mann ja tatsächlich in die Forstverwaltung übernommen worden. Innendienst. Hin und wieder hob er die Hand und zeigte drei Finger, als wolle er knobeln oder zeigen, was ihm fehle. Ihm fehlte aber ein Bein. Wollte er damit die Zahl seiner Verwundungen andeuten? Bremer holte sich das Fernglas des Barkassenführers und sah hinunter. Kein Zweifel, der Mann sprach die Vorbeigehenden an. Aber die gingen nicht nur vorbei, die eilten vorbei. Und dann – es muß der übernächste Tag gewesen sein – entdeckte Bremer einen Mann, der, obwohl die Sonne warm, ja sogar heiß schien, einen massigen Wintermantel trug. Der Mann stand in dem überweiten dunkelbraunen Wintermantel da und öffnete ihn für die Vorbeigehenden, kurz nur, wie ein Exhibitionist. Bremer dachte an die französischen Nutten in Brest, 1941, die für ihn, es war Winter, kurz, wie einen Vorhang, ihre Pelzmäntel öffneten, um die rotgerüschten Strapse, die Seidenstrümpfe, die schwarzen oder roten Büstenheber zu zeigen. Bremer starrte durch den Feldstecher hinunter, auf den Rücken des Mannes, der eine Halbglatze hatte und sich eben, den Mantel öffnend, einer Frau zuwandte, die hinsah, ihn sogar etwas fragte, dann den Kopf schüttelte und weiterging. Endlich drehte sich der Mann um, öffnete wieder den Mantel, Bremer erschrak, er sah nacktes rosiges Fleisch und mehrere Zitzen. Der Mann trug eine Schweinehälfte auf den Leib gebunden. Schwarzmarkt, schoß es Bremer durch den Kopf, und plötzlich verstand er auch die Fingerbewegung des Amputierten. Da wurde nicht geknobelt, da wurde nicht die Zahl der Verwundungen angegeben, da wurde getauscht, da wurde die Zahl der Zigaretten angezeigt, gegen die andere Waren getauscht werden sollten.

Abends empfing er Lena Brücker: Da hat sich vor dem Haus ein Schwarzmarkt gebildet. Und während sie die Holzingersche Graupensuppe aufwärmte, erregte sich Bremer darüber, wie Ordnung und Disziplin da draußen verfielen. Was ist denn daran so schlimm, fragte Lena vom Herd her, ist doch in all den Kriegsjahren unter der Hand gehandelt worden. Es gab doch immer Schwarzmarkt. Aber nicht so offen, so dreist unter freiem Himmel. Da unten steht ein Beinamputierter und bietet sein silbernes Verwundetenabzeichen an.

Für Bremer stand die deutsche Wehrmacht, die nun schon vor acht Tagen bedingungslos kapituliert hatte, gemeinsam mit den amerikanischen und britischen Verbündeten vor Berlin. Der rechte, von den Amerikanern verstärkte Flügel hatte unter General Hoth gerade Görlitz, also die Neiße, erreicht. Donnerwetter, sagte Bremer, das geht ja rasant. Der Russe ist ausgeblutet, einfach am Ende, sagte er, aber das alles entschuldigt nicht den Schwarzmarkt unten vor der Haustür.

Bremer saß am Tisch und aß die mitgebrachte Graupensuppe, die Lena Brücker mit kleingehacktem Kerbel verfeinert hatte. Er aß aber, als schmecke ihm die Suppe nicht. Er löffelte das in sich hinein, mit einer gleichmäßigen, ja stumpfen Gier, die sie an ihren glatzköpfigen Vater denken ließ. Schmeckt die Suppe nicht? Doch, doch.

Fehlt dir Salz? Nein, nein, sagte Bremer. Aber dieses doppelte Nein hörte sich so an, als sei es egal, ob etwas mehr oder weniger Salz in der Suppe wäre. Die werden bei Görlitz über die Neiße gehen und dann auf Breslau marschieren.

War ne schöne Zeit, genaugenommen die schönste, sagte sie, legte den blauen Faden des Himmels über den linken Zeigefinger: Wenn nur nicht immer diese dösigen Fragen nach den vorrückenden Truppen gewesen wären. Ich hatte nie was mit dem Krieg am Hut, auch nicht mit dem Militär, mag keine Uniformen, und jetzt saß zu Hause einer, der Schlachten schlug, und ich mußte immer neue Namen nennen, Städte, verstehst du, einfach verrückt, schlimmer noch, ich hatte das Ganze ja mit in Bewegung gesetzt. Die Rückeroberung des Ostens, so n Quatsch.

Manchmal hab ich überlegt, ob ich das Zeitungspapier nicht einfach früher ankommen lasse, dann is es aus mit dem Krieg, allerdings auch mit Bremer und mir.

Und haben Sie es verkürzt?

Nee. Eben nicht.

War das nicht unfair?

Weißte, unfair is nur das Alter. Nee. War schön. Basta. So einfach war das. Man liegt zusammen und weiß, wenn der aufsteht und weggeht, dann gibts nur noch die fünfzig-, sechzigjährigen Männer. Und die träumen dann ja auch nur wieder von ner Jüngeren. Das ist doch das Sonderbare, ne lange Zeit ist Alter etwas, was nur für andere gilt. Und dann, eines Tages, irgendwann um die Vierzig, entdeckt man das an sich selbst: haste so n blauen Fleck, fein gesprenkelt, wie ne blaue Feuerwerksrakete, ist dir ne kleine Ader an der Innenseite vom Bein geplatzt. Am Hals, hier unterm Kinn, zwischen den Brüsten haste Falten, nicht viel, n paar, gerade morgens, und man sieht an sich selbst, man wird alt. Aber mit dem Bremer hab ich das vergessen. Ja, sagt sie, war ne rundum schöne Zeit, alles war so n bißchen schräg, aber eben das war auch schön. Bis es zu dieser Rangelei kam.

Genau siebzehn Tage nach der Kapitulation kam sie nach Hause, und er sagte nicht einmal mehr hallo, sondern fragte gleich: Hast du ne Zeitung? Nee.

Aber wieso. Das gibts doch gar nicht. Muß doch Zeitungen geben. Wenigstens eine Seite.

Keine Ahnung. Und das rutschte ihr ziemlich patzig raus. Sie war fertig, neun Stunden Arbeit, halbe Stunde hin und halbe Stunde zurück zu Fuß, kein Auto hatte sie mitgenommen. Und dann hatte der neue Pförtner, ein wegen seiner Nazimitgliedschaft entlassener Kriminalkommissar, ihre Einkaufstasche sehen wollen. Darin hatte sie das Kochgeschirr mit der Steckrübensuppe. Nur weil der englische Captain, der zufällig auch die Behörde verließ, sie grüßte, bye bye sagte, war sie durchgekommen. Das war n Schreck in der Abendstunde. Sie hatte noch auf dem Heimweg überlegt, ob sie ihm erzählen sollte, die Amis brauchen das Papier, weil sie tonnenweise Flugblätter über den russischen Stellungen abwerfen. Einfach gegenübergestellt: was am Tag der amerikanische GI und was der russische Soldat zu essen bekommt. Natürlich in kyrillischer Schrift. Aber sie hatte an dem Abend keine Lust, eine Geschichte auszuschmücken, die dann ja auch wasserdicht sein mußte, weil er nachfragen und Details würde wissen wollen. Was für Flugblätter, wieso schicken die Engländer kein Papier? Er wolle endlich wissen, was genau los sei, sie solle ihm für einen Tag ein Radio besorgen. Nur für einen Tag, irgendwo ausleihen, von einer Freundin. Als sie sagte, das ginge nicht – was sollte sie auch sagen –, ranzte er sie an: sie wolle wohl nicht. Was heißt hier: wohl. Du willst nicht. Ich kann nicht. Doch du kannst! Du willst nur nicht! Nein! Doch! Warum nicht?

Geht nicht! Willst nicht! Ich sitz hier. Ja, und? Ich glotze auf die Straße. Ich putze. Ich laufe auf Socken rum. Da schrie er schon. Verstehst du, es geht um mein Leben. Ja, O. K., sagte sie. Er stutzte, sah sie entgeistert an, einen Augenblick. Wie kam das Wort in ihren Kopf? Für ihn geht es um Kopf und Kragen, und sie sagt O. K. Er tat ihr plötzlich leid, wie er dastand mit einem hochroten Gesicht, wie ein trotziges Kind. Es ging ja schon nicht mehr um sein Leben, schon seit Tagen nicht mehr. Und weil er ihr leid tat, machte sie genau das Falsche, sie sagte die Wahrheit. Sie sagte: Es ist gar nicht so schlimm, wie du denkst. Da begann er zu brüllen, und desto lauter, je öfter sie Pscht machte. Die Nachbarn. Scheißegal! Was?! Können mich mal. Du läufst rum, aber auf mich warten draußen die Kettenhunde. Unsinn. Du sagst Unsinn? Die stellen mich an die Wand! Und du sagst einfach Unsinn. Du sagst O. K. Er wischte mit dem Arm über den Tisch. Er machte reinen Tisch, wischte den Atlas runter, die Teller, die Tassen, die Messer, Gabeln, auch die Gläser zersplitterten am Boden. Er lief zur Tür, die sie, wie immer, ganz selbstverständlich abgeschlossen hatte, er wollte raus, und da sie den Schlüssel abgezogen hatte – nie zuvor war ihr aufgefallen, daß sie den Schlüssel, als hielte sie ihn gefangen, abzog –, schlug er – außer sich vor Wut – mit der Faust gegen die Türklinke und nochmals und nochmals, mit aller Wucht. Da nahm sie ihn von hinten in die Arme, sie wollte ihn besänftigen, beruhigen, aber er schlug nochmals zu, und so versuchte sie, ihn festzuhalten, da schlug er nach hinten, nach ihr, und so preßte sie ihm um so fester die Arme an den Leib, so daß sie plötzlich dastanden und miteinander rangen, sie hielt ihn von hinten umklammert, er versuchte sich zu befreien, die Arme freizubekommen, beide wankten, stöhnten, ächzten, aber ohne ein Wort zu sagen, in äußerster Anspannung ihrer Kräfte, er versuchte, den rechten Arm aus ihrem Griff herauszudrehen, vergeblich, sie, die als Mädchen schon einen Ewer mit einem Peekhaken bewegen konnte, preßte ihm die Arme an den Leib, preßte mit aller Kraft, er ließ sich auf den Boden fallen, riß sie, die nicht losließ, mit, wälzte sich auf den Rücken, auf die Seite, wollte sie wegdrücken, kam mit Schwung auf dem Bauch zu liegen, das Gesicht schrammte über den kratzigen Kokosläufer, weil er den Kopf herum- und hochriß, da spürte sie, wie der Druck seiner Arme nachließ, dieses ruckartige Zerren, er ließ den Kopf auf den Boden fallen, als wolle er schlafen, da ließ sie ihn los, und aus seinem Mund kam ein Aufseufzen, ein langsam leiser werdendes Keuchen. Er murmelte eine Entschuldigung. Er setzte sich auf, sie zog ihn an der linken Hand hoch, seine rechte blutete, die Knöchel, die Haut war aufgeplatzt und abgeschürft. Erst jetzt spürte er den Schmerz, einen irrsinnigen Schmerz. Er hielt die Hand unter das fließende kalte Wasser, damit sie nicht weiter anschwoll. Beweg mal die Finger. Er bewegte die Finger, es tat weh, aber er konnte sie bewegen. Dann ist nichts gebrochen, sagte sie.

Einen Moment kämpfte sie mit sich, ob sie gestehen solle, sie habe ihm etwas verschwiegen, nein, habe ihn belogen, aber jetzt konnte sie es nicht mehr sagen, jetzt war es zu spät. Es war ein Spiel gewesen. Jetzt war daraus Ernst geworden, blutiger Ernst. Das alles müßte ihm jetzt wie eine hundsgemeine Lüge erscheinen, als habe sie ihn hintergehen, wie ein Haustier halten, sich über ihn lustig machen wollen und ihn schließlich dahin getrieben, außer sich zu geraten. Und hatte sie das nicht auch? Wenn sie sich wenigstens von ihm hätte den Arm umdrehen oder schlagen lassen, daran hatte sie gar nicht gedacht, sondern sie hatte ihn eisern festgehalten, all ihre Kraft eingesetzt, genaugenommen sich gewehrt. Wenn sie jetzt mit einem geschwollenen Auge ihm gegenübersitzen würde, mit blauen Flecken am Oberarm, das hätte alles erleichtert, sie hätte sagen können, ich wollte dich einfach länger hierbehalten. So aber saß er da, mit seiner verbundenen rechten Hand, und entschuldigte sich dafür, daß er durchgedreht sei.

Sie lagen auf den Matratzen in der Küche. Halt die Hand ruhig, sagte sie. Sie streichelte ihn. Er hatte zugenommen. Es war ihr bewußt geworden, als sie mit ihm gerungen hatte. Das Wort massig fiel ihr ein. Er lag da, angespannt, sie spürte diese Anspannung unter seiner Haut, eine wachsame Anspannung. Sein Glied war klein, lag ihr warm in der Hand. Er entspannte sich erst, als sie die Hand ruhig auf seinem Geschlecht liegenließ. Es war, seit er bei ihr untergekrochen war, das erste Mal, daß sie nicht miteinander schliefen. Draußen schrien die Vögel. Sie schlief nicht, er schlief nicht, beide taten aber, als schliefen sie.

Am nächsten Tag hatte sie aus alten Wehrmachtsbeständen eine Wundsalbe für ihn besorgt. Die Hand trug er in einer Schlinge. Und sie hatte noch eine Salbe von ganz anderer Art, sie sagte, eine Amnestie für Deserteure sei in Vorbereitung. Der Zeitpunkt wird noch bekanntgegeben, wer sich dann freiwillig meldet, geht straffrei aus. Das war eine Freude, da geriet er richtig aus dem Häuschen, packte sie, Vorsicht, sagte sie, denk an deine Hand, wirbelte sie durch die Küche: tosca!

Und dann stellte sie auf den Küchentisch, was sie lediglich durch ihre nun fast dreijährigen Organisationserfahrungen hatte auftreiben können, durch Zureden, Drohungen, Versprechungen, von wegen eine Hand wäscht die andere: vier Eier, ein Kilo Kartoffeln, einen Liter Milch, ein Viertelpfund Butter und, das Kostbarste: eine halbe Muskatnuß, die sie gegen 500 Papierservietten, hochbegehrt als weiches Klopapier, eingetauscht hatte. Sie stellte die Kartoffeln auf, holte die Kartoffelpresse, die sie seit mehr als einem Jahr nicht mehr benutzt hatte, aus dem Schrank. Sie dachte, nach diesem fürchterlichen, ihn demütigenden Kampf könne sie nur so zeigen, wie sehr sie ihn mochte, wie leid ihr alles tat, und sie glaubte, mit diesem, seinem Lieblingsessen könne sie auch diese beginnende Eintrübung bekämpfen, dieses teilnahmslose Insichhineinschaufeln, das sie seit drei, vier Tagen an ihm beobachtet hatte, dieses matte Daliegen und Indieluftgukken, wenn es nicht um die neuesten Panzervorstöße ging.

Klar doch, sagte Frau Brücker, dem fiel die Decke auf n Kopp. Was konnte er auch tun, Küche putzen, Kreuzworträtsel lösen, aus dem Fenster gucken.

Aber jetzt war er munter. Eine Generalamnestie. Mann, sagte er, Mann in der Tonne. Endlich. Und an dem Tag wollte sie ihm auch etwas ganz Besonderes kochen, was Kräftiges. Ordentlich Eier. Brauchte er, sagte sie, er war ja auch mächtig rangenommen worden. Sie lachte, ließ den blauen Faden fallen, nahm den grünen vorsichtig über den Finger.

Wie halten Sie die Fäden auseinander, wollte ich wissen. Reihenfolge. Muß man sich merken. Reine Kopfarbeit. So bleibt man jung im Kopf.

Bremer deckte, legte Servietten hin, stellte ein Hindenburglicht auf. Er mußte sich setzen. Sie gab ihm zwei Klacks von dem frisch gepreßten Mus – gut gerührt und ohne Klüten – auf den Teller, schob dann vorsichtig die vier gebratenen Eier drauf, träufelte die gebräunte Butter darüber und setzte sich ihm gegenüber. Sie hatte sich nur etwas Kartoffelmus genommen, sagte: ich mach mir nichts aus Eiern, was glatt gelogen war, und sah ihm zu, wie er den ersten Bissen in den Mund schob, Kartoffelmus mit der kostbaren gebräunten Butter, er schmeckte, und ein Nachdenken, etwas Grüblerisches huschte über sein Gesicht. Nanu, dachte sie, hab ich was falsch gemacht? Fehlt Salz? fragte sie. Nein. Fehlt etwas, fragte sie, weil sie sah, er verglich den Geschmack mit dem Erinnerten aus seiner Kindheit.

Tatsächlich aber versuchte er, überhaupt etwas zu schmecken. Es war der Moment, als er sich selber sicher wurde, daß er den Geschmack verloren hatte. Es war nicht von heute auf morgen gekommen, er brauchte zwei, drei Tage, um es zu bemerken, so lange reichte die Erinnerung an das Geschmeckte. Erst danach verlor sie sich langsam, es konnte aber, wie er sich dann sagte, immer noch eine Täuschung sein. Jetzt aber hatte er das Kartoffelmus mit der gebräunten Butter auf der Zunge, und davon hatte er eine recht genaue Vorstellung, wie es zu schmecken hatte – und er schmeckte nichts, rein gar nichts. Natürlich sagte er nichts, schwärmte von dem Mus, schwärmte von den gebratenen Eiern, auf dessen gelben Dottern sich von der heißen Butter kleine bräunliche Inseln mit einem sie umgebenden weißen Eiweißring gebildet hatten. Nur, und das überraschte Lena, den Muskatgeschmack erwähnte er nicht. Der vor allem mußte ihm doch auffallen. Der mußte für ihn doch ganz und gar ungewöhnlich sein. Wo gab es nach mehr als fünf Kriegsjahren noch Muskatnüsse? Na und, fragte sie, was schmeckst du? Ein Gewürz? Da antwortete er ausweichend: Einfach tosca.

Es war eine eigentümliche Empfindung auf der Zunge und am Gaumen, etwas Pelziges, Stumpfes, so als sei ihm die Zunge eingeschlafen. Er konnte mit der Zunge tasten, wischte mit der Spitze an den Schneidezähnen entlang, spürte dort, was er immer gespürt hatte, etwas Glattes, etwas Schartiges, nur eben das Schmecken war nichts, ja ein Nichts. Was is, fragte sie.

Nichts, aber das »Nichts«, so ausgesprochen, mit einem grüblerischen Suchen, nein, Staunen, einem fassungslos Fragenden um den Mund, ließ sie wiederum nachfragen: Schmeckst du es nicht? Immerhin sind das 500 Papierservietten gewesen.

Er schüttelte den Kopf. Ich schmecke nichts.

Gar nichts?

Nein. Seit drei Tagen oder vier. Nichts mehr. Er starrte auf den Teller, den er zügig leergegessen hatte, saß da wie ein Häufchen Elend.

Sie lagen auf der Matratzeninsel nebeneinander. Sie streichelte ihm den Bauchnabel, pulte ihm ein paar Flusen heraus, die sich darin von der Wäsche angesammelt hatten. Die Hand, sagte er, tut verdammt weh. Ich kann mich nicht aufstützen. Ach, dachte sie, wie viele Möglichkeiten hatten sie erprobt, ohne daß er die Hände aufstützen mußte, aber sie sagte: Schon gut. Ist ja schön, einfach so zusammen dazuliegen.

Was kann man tun, fragte sie Holzinger, wenn jemand plötzlich nicht mehr richtig schmecken kann.

Holzinger sagte: Kommt immer wieder mal vor, eine Art Verstopfung der Geschmacksknospen. Die müssen sich wieder öffnen. Wer ist es denn, fragte er, mit lurigem Blick. Der dachte natürlich gleich an einen der leitenden Herren, die er beköstigte. Das wär die höchste Kochkunst, Widerlingen und Kotzbrocken den Geschmack amputieren zu können.

Ein Bekannter.

Leidet er unter Appetitlosigkeit?

Nein, gar nicht.

Das ist dann eine verfressene Geschmacklosigkeit.

Hör mal, fuhr Lena Brücker auf, fing sich dann aber wieder, bog die bissige Lautstärke in eine dringlich besorgte Frage um. Wie kommt das?

Innere Schieflage, sagte Holzinger, der, wenngleich Wiener, nie Freud gelesen hatte. Eine Schwerblütigkeit, die vom Herzen kommt.

Und was ist dagegen zu tun?

Basilikum. Haben wir nicht. Noch besser Ingwer, ein Gewürz gegen die Schwermut. Haben wir erst recht nicht. Oder Koriander.

Ah, die Currywurst, fragte ich, nicht?

Frau Brücker hörte auf zu stricken, sah mich an und sagte ziemlich scharf: Wenn du es weißt, na dann erzähl mal.

Captain Friedländer, sagte ich.

Was is mit dem?

Sie haben Captain Friedländer nach dem Curry gefragt.

Nee, so einfach gehts nur in Romanen zu. Wär das so gewesen, wie du denkst, hättest du nie ne Currywurst essen können. Hätte Friedländer Curry gehabt, hätt ich allenfalls Curryreis gemacht. Aber nie und nimmer ne Wurst. Würste gabs nämlich gar nicht. Außerdem, Curry hatten die Engländer damals auch nicht. Nachschub lief ja erst langsam an. Und Friedländer sagte: Curry ist ein gräßliches Zeug. So ne Art indischer Maggi; Königsberger Klopse, die mochte der.

Siehste, sagte sie, zählte die Maschen. Ich wartete. Warste auf ner ganz falschen Fährte. Mußt schon noch n büschen Geduld haben.

Bremer hatte jede Menge Zeit. Der hatte sich einen Stuhl ans Fenster gestellt, ein dickes Kissen draufgelegt, damit er etwas höher saß, aber doch halb verdeckt von dem Store. Auf die Fensterbank hatte er sich ein Salzfäßchen gestellt, tippte mit dem Finger hinein und leckte daran. Er schmeckte nichts. Er roch nichts. Lediglich die Speicheldrüsen wurden angeregt. Unten humpelte ein Kriegsversehrter an zwei Krücken vorbei. Wie kommt es, dachte er, daß man den Geschmack wie ein Bein verlieren kann. Er versuchte sich damit zu trösten, daß der Geschmack zurückkommen würde, so wie er als Junge, als er Würmer hatte, nichts mehr riechen konnte, dann aber, nach der Wurmkur, kam der Geruchssinn zurück. Vom Himmel war das schnelle Sirren eines Jagdflugzeugs zu hören. Vielleicht werden sie jetzt die Wunderwaffe gegen den Russen einsetzen. Vielleicht das Roboterflugzeug. Er hatte nie daran geglaubt, bis er dann einmal die Me 163 gesehen hatte, das fliegende Ei, das erste Raketenflugzeug der Welt, eine kleine rundliche Maschine, mit kleinen Stummelflügeln, die mit einem Raketenstrahl hinauf und durch einen Bomberpulk geflogen war und, von oben herunterstürzend, ein, zwei, ja drei dieser Fliegenden Festungen abgeschossen hatte, dann segelte es im Gleitflug zu Boden, setzte hart auf und explodierte. Wenn man das Explodieren am Schluß verhindern könnte, ist das die Wunderwaffe, hatte er damals gedacht. Er tupfte etwas Salz auf die Fingerkuppe. Er hoffte einfach darauf, daß sich der Geschmack, ebenso plötzlich, wie er verschwunden war, auch wieder einstellen würde. Er leckte. Nichts. Vielleicht ist das, dachte er, der Preis dafür, daß ich geflohen bin, daß ich desertiert bin, daß ich feige war, nein bin. Sonderbarerweise begann er erst jetzt, sich mit seiner Fahnenflucht zu beschäftigen, erst als er nichts mehr schmeckte. Vielleicht verliert man tatsächlich etwas für immer, wenn man sich ergibt oder wenn man flieht, andere im Stich läßt, vielleicht zerbricht etwas Unsichtbares, aber doch Festes in einem, dachte er. Bestimmte Dinge kann ich nicht mehr sagen, bestimmten Fragen werde ich in Zukunft ausweichen, wenn sie mich nicht doch noch erwischen, denn auch wenn sie die SS aufgelöst haben, werden jetzt doch englische und deutsche Militärpolizisten Streife gehen.

Er rauchte eine der kostbaren englischen Zigaretten und schmeckte nichts. Seine Zunge war eingeschlafen. Vielleicht, dachte er, kommt es vom Rauchen, du rauchst zuviel, aber dann nistete sich sogleich der Gedanke ein, es ist nicht das Rauchen, sondern daß du dich hier von einer Frau verstecken läßt. Du bist ein Schwein, dachte er.

Konnte dieser Eichelkaffee den Geschmacksnerv abtöten, sozusagen gerben, wie meine Mutter behauptet hat, fragte ich Frau Brücker.

Unsinn, glatter Unsinn. Ein Gerücht, das damals von der Konkurrenz in Umlauf gebracht wurde. Mein Eichelkaffee war besonders gut. Das Kaffeearoma war gut, denn ich habe, neben dem Kaffee-Ersatz und einer Prise Salz, auch immer ein paar echte Kaffeebohnen gemahlen und dazugegeben.

Nee, sagte sie, dem fiel einfach die Decke auf n Kopp. Immerhin mußte er mehr als neun Stunden allein in der Wohnung aushalten. Der Vormittag war ja noch mit Hausarbeit ausgefüllt, aber der Nachmittag zog sich hin. Auch wenn unten mehr zu sehen war als früher, weil nicht nur einige wintergraue Frauen Wassereimer schleppten – was sie inzwischen nicht mehr mußten, denn die Wasserwerke arbeiteten wieder –, sondern dort unten standen jetzt recht unterschiedliche Typen, Frauen in eleganten Kostümen, die aus Eppendorf und Harvestehude herüberkamen, um hier in der Brüderstraße Teile des Familiensilbers zu tauschen. Der Hafen war ja nah, und viele Bewohner des Viertels arbeiteten dort, wo beim Verladen immer wieder Kisten zu Bruch gingen, Zigaretten plötzlich im Stauraum lagen, Kaffeebohnen aus Säcken rieselten, Bananen abfielen. Schieber standen unten in den Hauseingängen, boten Speckseiten und Würste an. Bremer sah durch das Fernglas eine silberne Krawattenspange in der Hand eines Mannes. Die Hand schob sie in die Manteltasche und zog drei Mettwürste heraus, die eine andere Männerhand ergriff. Und dann dieses Gemurmel. In den ersten Tagen war es kaum hörbar, nur wenn er das Fenster vorsichtig öffnete. Und wenn er es öffnete, mußte es bis zum Abend offenbleiben. Es war mehr ein Zischeln, ein Zischeln, das von Tag zu Tag mit der Zahl der Leute zunahm, ein unverständliches Gemurmel, das hörbar machte, was die Ökonomen Angebot und Nachfrage nennen. An einem Nachmittag, Bremer saß in der Küche, die er morgens gefegt, dann gewischt, die Ecken mit einem Messer ausgekratzt und danach den Boden mit einer Wurzelbürste behandelt hatte, und löste ein Kreuzworträtsel. Ein germanischer Stamm mit fünf Buchstaben: Sueben? Griechische Zauberin. Fünf Buchstaben. Erster Buchstabe ein K. Wußte er nicht. Plötzlich erstarb das von unten kommende Gemurmel. Motorengeräusch. Er lief zum Fenster. Unten fuhr im Schrittempo ein Jeep vorbei. In dem Jeep saßen zwei englische Militärpolizisten und zwei deutsche Polizisten, die Tschakos auf den Köpfen. Die Schwarzmarkthändler waren verschwunden oder sie standen beieinander und unterhielten sich, so absichtsvoll, blickten dabei in den Himmel. Sie alle, die ja ganz zufällig zusammengekommen waren, hatten das Stichwort Wetter gewählt und starrten zu ihm, der unwillkürlich einen Schritt zurücktrat, hoch.

Abends erzählte er ihr von diesem Jeep. Englische Militärpolizei zusammen mit deutschen Polizisten. Das hat ihm, denk ich mir, jeden Zweifel genommen, sagte Frau Brücker. Die Engländer haben sich am Anfang von der deutschen Polizei einweisen lassen. Mußten die Stadt ja kennenlernen.

Sie hatte Holzingers Rat befolgt, hatte Bratkartoffeln gemacht, mit Kümmel und viel schwarzem Pfeffer, von dem Holzinger ihr aus seiner eisernen Reserve etwas abgegeben hatte. Sie stellte den Teller auf den Küchentisch und beobachtete Bremer, wie der sich die Bratkartoffeln reinschaufelte. Die Augen tränten ihm, und die Nase begann zu laufen. Mehrmals mußte er sich schneuzen. Schmeckst du was? Er schüttelte nur den Kopf und öffnete sich den Hosenbund.

Er hatte zugenommen, und zwar kräftig. Es lag an der fehlenden Bewegung, zugleich aber auch am Organisationstalent von Lena Brücker, daß einer, während alle anderen in dieser Zeit an Gewicht verloren, zunahm. Lebensmittel zu organisieren war nach der Kapitulation nicht leichter geworden. Die Engländer hatten die Marken übernommen, so wie sie die Lebensmittelbehörde übernommen hatten, einschließlich Dr. Fröhlich. Aber es kam zu Reibungen zwischen den Produzenten, den Bauern und den Behörden. Und auch unter den Behörden gab es Verteilungskämpfe; Unterschleif, Schiebung und Diebstahl nahmen zu. Nicht nur, weil, wer hortete, beiseite schaffte, nicht mehr damit rechnen mußte, ins Zuchthaus zu kommen oder gar unters Fallbeil, sondern weil die neue Verwaltung vom Feind besetzt war. Noch vor ein paar Tagen war man dem an die Gurgel gegangen. Das perfide Albion, der Tommy, regiert von Plutokraten. Da war nur jedes Mittel recht, den übers Ohr zu hauen, da wurde ja nicht der Volksgenosse beschissen, sondern der Gegner. Sie hatte sich vorgenommen, noch an diesem Abend Bremer die Wahrheit zu sagen. Holzinger hatte von seiner kleinen Tochter erzählt, die es nicht abwarten könne, endlich wieder zur Schule zu kommen – noch war die geschlossen. Sie hatte an das Foto gedacht, das Bremer mit der Frau und dem Kind zeigte. Während sie den

Speiseplan für den nächsten Tag mit Holzinger besprach, überlegte sie, wie sie das Gespräch mit Bremer beginnen sollte. Es gab noch etliche Zentner Graupen. Holzinger brauchte aber Fleischextrakt, um wenigstens etwas Geschmack in die Suppe zu bekommen. Was ist denn mit dir, fragte Holzinger. Hallo. Und er fuhr ihr wie einem Kind, das tagträumt, mit der Hand vor die Augen. Du mußt versuchen, Fleischextrakt aufzutreiben. Frag Captain Friedländer. Mach ihm schöne Augen. Ich muß dir etwas gestehen. Gestehen? Nein, das sagt man nur im Film. Ich will dir etwas sagen. Ich muß etwas klarstellen. Wieso, sagte Holzinger, Zwiebeln haben wir doch noch. Fleisch wäre natürlich schön. Der Krieg ist zu Ende, seit Tagen. Seit Tagen? Ja, genaugenommen seit drei Wochen, hier in Hamburg. Ich weiß, sagte Holzinger. Das zu sagen, was zu sagen ist. Nein, besser: Ich muß dir sagen, ich habe etwas verschwiegen. Aber das zu sagen, war so schwer, weil einem die richtigen Worte fehlten. Wie sollte sie das, was so verzweigt, verzwickt war, so viele unterschiedliche, sich sogar widersprechende Gründe hatte, auf nur ein plattes Wort festlegen: verschwiegen, also belogen. Fast so, sagte Frau Brücker, als hätt ich ihn betrogen, obwohl ich das in dem Fall ja gerade nicht hab, andererseits wiederum doch. Was für ein Wirrwarr. Sag mal, fragte Holzinger, hörst du mir überhaupt zu? Ich brauche keinen Wirrwarr, sondern Fleischextrakt. Fleisch? Warum nicht. Natürlich wäre das wunderbar. Aber das willst du dir doch nicht aus den Rippen schneiden, denk ich mal? Was ist los mit dir?

In der Kantine aßen die beiden englischen Offiziere an einem gesondert stehenden, weiß gedeckten Tisch gemeinsam mit einem schwedischen Journalisten, der über die Versorgungslage im besetzten Deutschland schreiben wollte. Als Lena Brücker das von einem englischen Koch bereitete, aber wesentlich schlechter als Holzingers Fleischextrakt-Suppe schmeckende Irish Stew mit der Kelle auf die Teller schöpfte, bekleckerte sie die Uniform von Captain Friedländer.

Entschuldigung. Ich bin ganz durcheinander heute.

Nicht so schlimm, sagte der.

Sie lief in die Küche, kam mit einem feuchten Tuch zurück und begann, an der Uniform herumzureiben. Schon gut, sagte er, weil es ihm vor all den Leuten peinlich war. Später steckte er ihr ein Päckchen Zigaretten zu. Sie haben Kummer. Wenn ich Ihnen helfen kann. Und sah sie dabei an mit einem Blick, der verboten war, die durften, wie wir ja wissen, nicht fraternisieren. Vielleicht, sagte Frau Brücker, wenn der Bremer damals nicht gewesen wäre, vielleicht wäre ich dann heute in England, in irgend so einem Altenheim mit Efeu an den Mauern.

Sie würde, sagte sie sich auf dem Heimweg, die Tür aufschließen und sagen: Du kannst, wenn du willst, gehen. Der Krieg ist aus. Ich habe ihn nämlich für uns – für dich, vor allem aber für mich – etwas verlängert. Aus ganz persönlichen, selbstsüchtigen Gründen, zugegeben. Ich wollte dich einfach noch etwas dabehalten. Das ist die Wahrheit. Sie könnte sagen: Früher hättest du deine Frau und dein Kind sowieso nicht sehen können. Was mich übrigens interessiert, was ich dich schon lange fragen wollte: Ist es ein Mädchen oder ein Junge? Er würde dann auch irgend etwas sagen, hoffte sie. Das Schlimmste wäre, wenn er wortlos aus der Wohnung laufen würde. Vielleicht würde er sagen: Warum hast du mich so belogen? Oder hintergangen? Das Wort trifft ja das, was gewesen war: Sie war draußen in einer ganz anderen Welt herumgelaufen, als der, die sie ihm vorgestellt hatte. Vielleicht würde er sagen: Den Krieg soll man nicht verlängern, das ist unanständig und unmoralisch. Er war desertiert, und sie hatte ihm dabei geholfen. Sie hatte verhindert, daß er andere tötete, daß er möglicherweise getötet wurde. Aber das würde sie so nicht sagen. Egal. Er mußte nur etwas sagen, darauf ließe sich dann auch etwas antworten, und sie könnten dann reden, über die Zeit, über die Jahre, die sie allein gewesen war, über seine Frau, über seine Tochter oder seinen Sohn. Auf jeden Fall wollte sie ihm das sagen, was sie sich auf dem langen Heimweg zurechtgelegt hatte: Daß es auch in dunklen Zeiten helle Augenblicke gibt und daß die um so heller scheinen, je dunkler die Zeiten sind.

Und dann schloß sie die Wohnungstür auf.

Und er fragte nicht nach Zeitungen, fragte nicht nach Radioröhren, auch nicht, wo die deutschen Truppen stünden, sondern sagte: Herzlichen Glückwunsch, und er führte sie zum Küchentisch, da standen, sorgfältig mit der Schere aus rotbedrucktem Illustriertenpapier ausgeschnitten und auf das komplizierteste gefaltet, drei Papierblumen. Wunderschöne Ersatzrosen.

Woher weißt du?

Auf der Kohlenkarte steht dein Geburtsdatum.

Das Fenster stand offen, von unten war das Gemurmel der Schwarzhändler zu hören, es war so friedlich, daß sie beinahe gesagt hätte: Es ist Frieden, aus und vorbei. Mußt keine Angst mehr haben. Kannst gehen. Aber dann sagte sie sich, daß sie in diesem Moment weder ihm noch sich die Stimmung verderben wollte. Und war erst einmal die Wahrheit heraus, hatte sie viel Zeit zum Nachdenken, und sie dachte, ich teile mir jetzt die Tage genau ein. Ich lasse für ihn das Papier zwei Tage früher ankommen, also in drei Tagen, und die gönne ich mir noch. So sind wir beide beschenkt. Und was sie sich vornahm, so gut hatte sie sich in vierzig Jahren kennengelernt, das tat sie denn auch.

6

Aber dann, am nächsten Tag, sah Lena Brücker die Fotos. Die Fotos waren in der Zeitung erschienen. Fotos, bei denen Lena Brücker der Hunger verging, obwohl sie morgens nichts gegessen hatte, Fotos, die sie wie benommen nach Hause gehen ließen, Fotos, die ihr die Frage stellten, was sie all die Jahre gedacht und gesehen hatte, oder genauer, woran sie nicht gedacht hatte und was sie nicht hatte sehen wollen. Es waren Fotos, wie sie zu der Zeit viele, die meisten, genaugenommen alle Deutschen zu sehen bekamen. Fotos aus den von den Alliierten befreiten KZs. Dachau, Buchenwald, Bergen-Belsen. Waggons voller Leichen, nur noch mit Haut überzogene Skelette. Ein Foto zeigte die gefangengenommene Wachmannschaft, SS-Männer und SS-Frauen, die dabei waren, die Waggons mit diesen Skeletten zu beladen. Einige SS-Männer hatten sich für diese Arbeit die Ärmel aufgekrempelt. Die packten richtig zu. Häftlinge, die überlebt hatten, saßen, nein, lagen apathisch da, Sterbende, in gestreiften Anzügen.

Als sie nach Hause kam, fragte Bremer, ist dir schlecht? Und sie erzählte, was sie vorgab, in der Stadt gehört zu haben, was ihr aber, während sie es sagte, als Lüge erschien, eine dreckige Lüge, mit der sie sich beschmutzte, weil sie sagte, sie habe es gehört: es habe Lager gegeben, in denen Menschen umgebracht worden seien, und zwar systematisch, Zehntausende, Hunderttausende, einige sagen Millionen.

Gerüchte, sagte Bremer.

Sie konnte doch nicht sagen, ich hab es schwarz auf weiß gesehen. Ich habe in der Zeitung Fotos gesehen. Der Captain hat heute erstmals nicht mit mir gesprochen, mich nicht gegrüßt, mich nicht angesehen, mir keine Zigarette angeboten. Ich hatte für ihn gedeckt, extra Osterglocken für ihn auf den Tisch gestellt. Aber er sagte nichts, nichts, er schüttelte nur den Kopf und verschwand in seinem Büro, schloß hinter sich die Tür, die er sonst immer offenstehen ließ.

Menschen, Juden, sollen, sagte sie zu Bremer und zwang sich, ruhig zu bleiben, vergast und dann verbrannt worden sein. Unvorstellbare Dinge sind passiert. Es soll Fabriken des Todes gegeben haben.

Märchen, sagte Bremer, alles Quatsch. Feindpropaganda. Wer hat ein Interesse, solche Gerüchte in die Welt zu setzen? Der Russe. Und dann sagte er etwas, was Lena Brücker aus der Fassung brachte. Sie hatte aufgehört zu stricken, das Strickzeug im Schoß, sah ein wenig über mich hinweg, schüttelte den Kopf: Ist schon Breslau entsetzt, hat er gefragt.

Da, es war das erste, das einzige Mal, schrie sie ihn an: Nein. Die Stadt ist im Arsch! Schon längst. Platt. Verstehste. Nix. Gauleiter Handke abgehauen. Mit nem Fieseler Storch. Ein großes Schwein, wie dieser Dr. Fröhlich ein kleines Schwein ist. Alles Schweine. Jeder in Uniform is n Schwein. Du mit deinem dämlichen Kriegsspiel. Der Krieg ist aus. Verstehste, aus. Längst. Aus. Vorbei. Futschikato. Wir haben ihn verloren, total. Gott sei Dank.

Er stand da, wie soll ich sagen, guckte mich an, nicht entsetzt, auch nicht mal fragend, nein, dösig. Und dann hab ich meinen Regenmantel genommen und bin raus. Ich bin durch die zerbombten Straßen gelaufen, lange, kann im Laufen am besten nachdenken. Das war mal ne schöne Stadt, und die lag nun in Trümmern, Schutt und Asche, und ich dachte: richtig so, und ich dachte dann: vielleicht ist das mit den Juden doch Feindpropaganda. Vielleicht stimmt das so nicht. Auch Fotos können gestellt werden. Nein, nicht so. Es waren Haufen voller Leichen, Gruben voller Leichen, verrenkte, ausgemergelte Körper, durcheinander lagen sie, Füße neben Köpfen, kahle Köpfe, Augenhöhlen, Schädel. Man will es nicht glauben. Aber dann dachte ich an die Juden, die ich kannte. Die waren verschwunden. Einige vor dem Krieg, andere, meist ältere, während des Krieges. Ich dachte an Frau Levinson. Das war eines Morgens 1942. Großneumarkt. Dort ist die Joseph-Herz-Levy-Stiftung gewesen. Ein Stift für bedürftige Juden.

Lena Brücker war auf dem Weg in die Lebensmittelbehörde, da sah sie vor dem Stift zwei Militärlaster stehen. Die alten Leute standen mit Taschen und kleinen Pappköfferchen in einer Schlange und wurden auf die Lastwagen geschoben. Sie entdeckte Frau Levinson, die Witwe des Kurzwarenhändlers Levinson. Ein SS-Mann nahm ihr den Koffer ab, als sie auf den Laster stieg, von zwei behandschuhten Händen nach oben gezogen. Frau Levinson winkte ihr, schon auf dem Laster stehend, zu, so wie man winkt, wenn man wegfährt, aber verstohlen. Frau Levinson war damals 76 und trug den kleinen schwarzen Samthut, mit dem man sie immer sah. Lena Brücker hatte zurückgewinkt, verstohlen, so verstohlen, daß sie sich danach, auf ihrem Weg zur Arbeit, schämte.

Und sie hatte sich natürlich gefragt, wohin die Leute kommen würden. Und jeder ahnte, irgendwo in den Osten, in Konzentrationslager. Dort verschwanden sie. Der Osten war weit. Lebensraum, das war der Osten.

Es gab einen Eisenbahner, einen Heizer, der hieß Lengsfeld, der war früher auf Elbschleppern gefahren. Er wohnte in der Brüderstraße und war Anfang des Krieges zur Reichsbahn verpflichtet worden. Den traf Lena Brücker einmal auf der Straße, und da erzählte er ihr, daß täglich Güterzüge mit Menschen in den Osten rollten. Aus den Zügen war nichts zu hören. Manchmal, wenn die Züge auf einem Güterbahnhof hielten, konnte man Hände sehen, die aus den Luftluken der Viehwaggons gesteckt wurden. Die Hände bettelten um Brot und Wasser. Und dann. Was und dann? Und dann lagen an dieser Eisenbahnstrecke immer wieder Schuhe und Gebisse. Gebisse? Ja. Aber wieso? Keine Ahnung, sagte der Heizer. Sie werfen während der Fahrt ihre Gebisse aus den Waggons. Aber warum? Keine Ahnung, sagte der Heizer.

Es hatte aufgehört zu regnen, und sie war nach Hause gegangen. Sie wollte mit Bremer reden. Sie wollte versuchen, ihm alles zu erklären.

Sie schloß die Wohnungstür auf. Er stand nicht im Korridor, saß nicht mit muulschem Gesicht am Küchentisch, nicht wütend im Wohnzimmer, nicht im Schlafzimmer. Sie lief zur Kammer. Die war leer. Im Schrank fehlte der graue Anzug ihres Mannes. Dafür hing da, säuberlich gebürstet, die Uniform von ihm, mit diesem ulkigen Reiterabzeichen. Sie suchte nach einem Zettel, einem Brief, einer Nachricht. Nichts.

Was sie peinigte, war sonderbarerweise nicht, daß er weggegangen war, sondern daß sie nicht mehr mit ihm darüber hatte reden können, warum sie ihm die Kapitulation verschwiegen hatte. Vor allem hätte sie ihm sagen wollen, daß sie ihm mit ihrem Verschweigen nicht geschadet habe. Er hätte nicht viel früher gehen können, selbst jetzt konnte er noch aufgegriffen werden, konnte in Gefangenschaft kommen, denn bei einer Kontrolle durch die Militärpolizei mußte er seine Entlassungspapiere vorzeigen. Er hatte sich ja nur selbst entlassen. Andererseits wird er in seinem grauen Anzug nicht auffallen. Die ranghohen Nazis verkleideten sich als Landarbeiter oder zogen Uniformen der unteren Ränge an. Und, dachte sie, den Anzug wird er jetzt nicht mehr schicken müssen. Wenigstens das, sagte sie, war in dem Moment eine Erleichterung. Er hatte sich den Anzug nicht ausgeliehen, er hatte ihn getauscht. Und was er seiner Frau für eine Geschichte erzählen würde, war ihr egal. Denn die Geschichte, seine, ihre Geschichte, konnte er niemandem erzählen, das war keine dieser Kriegsgeschichten, die überall und immer wieder die Runde machten. Das war keine Stammtischgeschichte.

Das ist eine Geschichte, die nur ich erzählen kann. Es gibt darin nämlich keine Helden.

Sie ging durch die Küche, sah die Kippen, die er in den Mülleimer geschüttet hatte. Das Geschirr hatte er abgespült und eingeräumt. Die Spüle war geputzt. Und im Flur lag auf Kante zusammengelegt die Feldplane, unter der sie mit ihm im Regen nach Hause gegangen war.

Sie setzte sich an den Küchentisch und weinte.

Ich glaub, sagte sie, jetzt müßte die Sonne langsam aufgehen. Sie hielt mir das Pulloverteil hin.

Ja.

Soll ich noch ne weiße Wolke reinstricken, so ne richtige Kissenwolke?

Wär schön.

Mal sehn. Stell mal Wasser auf.

Ich stellte in der Kochnische den Tauchsieder an. Den Kaffee wollte sie selbst aufgießen, das ließ sie sich nicht nehmen. Sie goß nach, wenn der Kaffee durch den Filter abgelaufen war. Sie lauschte auf das langsamer werdende Nachtropfen. Nie redete sie dabei. Stand da, in sich versunken, die Augen auf die eine Kachelwand imitierende Plastiktapete gerichtet.

Ich schob den Tortenkeil auf einen Teller. Sie ging zum Tisch. Echte Bohne, sagte sie. Also keine Angst vor Zunge gerben und so.

Was ist denn mit Bremer passiert, drängte ich. Keine Ahnung, sagte sie.

Ich denke, die Currywurst hat mit Bremer zu tun.

Hat sie auch. Aber nich so direkt. War n Zufall. Bin gestolpert. Nix weiter. Obwohl – je älter man wird, desto weniger glaubt man an Zufälle. Vorsichtig trug sie die Kanne zum Tisch, ertastete erst meine, dann ihre Tasse und goß ein. Und wieder staunte ich, daß sie die Tassen gleichmäßig vollgoß.

Also, erst mal kamen die Männer aus der Gefangenschaft zurück. Im Januar 46 kam der Durchhalte-Fröhlich aus dem Internierungslager. Wurde dann bei der Entnazifizierung nur als Mitläufer eingestuft. Wer andern eine Grube gräbt, hat wohlgebaut. Wurde zwar nicht mehr Behördenleiter, dafür aber Personalleiter. Verstehste?

Und dann, eines Tages, im März 46, klingelt es, und draußen steht er.

Bremer?

Nein, mein Mann.

Ich mußte ihr ja nichts verbergen, nicht mein Zurücksinken an die Stuhllehne, nicht mein Kopfschütteln, ich hätte auch die Augen theatralisch zur Decke verdrehen können oder mir an die Stirn fassen. Und doch schien sie etwas gemerkt zu haben, vielleicht hatte ich auch etwas unkontrolliert aufgeschnauft. Ihr Gehör war ja äußerst fein. Mein Mann, sagte sie, gehört auch zur Geschichte. Tatsächlich?

Ja.

Aber übermorgen muß ich zurück nach München. Es beklagen sich die Kinder, auch meine Frau. Und das mit Recht. Ich hatte ja nur eine Woche in Hamburg bleiben wollen und bin schon die zweite Woche hier.

Kannste die Rückreise nicht um ein, zwei Tage verschieben?

Unmöglich.

Schade, sagte sie, wirklich schade, müssen wir das abkürzen, die Geschichte mit Gary. Die is besonders interessant. Gary is nämlich der Erfinder von dem Ball Paradox. Die Idee ist ihm später von Frau Keese geklaut worden. Dieses Tanzcafé, in dem Frauen die Männer auffordern. Und die Männer dürfen keinen Korb geben.

Ich komm immer wieder mal nach Hamburg, dann müssen Sie mir die Geschichte erzählen.

Sie aber schwieg obstinat, spatelte mit der Kuchengabel

von der Zuger Kirschtorte Scheibchen. Ihre Bewegungen waren altersbedingt langsam, aber doch zügig, und weil sie so langsam waren, fiel es nicht auf, wie zielgerichtet das erste Stück Torte verschwunden war. Dann schob sie, als Appetitswechsler, ein Stückchen alten Gouda in den Mund, lutschte das wie ein Bonbon. Ich schob ihr das zweite Stück Torte auf den Teller. Tosca, sagte sie, und aß.

Ich schwieg und wartete geduldig. Draußen drückte der Wind in Böen den Regen gegen das Fenster.

Also Ihr Mann, der Gary, kam zurück, versuchte ich mit einem die gespannte Neugier heuchelnden Ton, sie wieder zum Reden zu bringen. Woher denn?

Aus der russischen Gefangenschaft. Der sah prächtig aus, im Gegensatz zu anderen Rußlandheimkehrern. Hatte Sonderrationen bekommen, weil er auf m Kamm die russischen Volkslieder blasen konnte. Die Wachmannschaften müssen wie die Schloßhunde geheult haben.

Also, Gary kommt rein. Jürgen, mein Sohn, sitzt in der Küche. Den hatten die Amis schnell entlassen. War ja noch Kind, mit sechzehn. Lehrstellen gabs noch nicht. Jürgen arbeitete an einem Fließband, sortierte ganze und halbe Ziegel aus dem Trümmerschutt. War immer n fleißiger Junge. Hallo, sagte Gary. Jürgen sitzt am Küchentisch wie versteinert. Kommt n Mann und sagt: Ich bin dein Vater. Jürgen hatte den zuletzt mit zehn gesehen. Gary will mich umarmen. Moment, hab ich gesagt, und den Jungen rausgeschickt, dann: Was willste hier?

Na hör mal. Für die Kinder sorgen.

Ha, ha, hab ich nur gesagt.

Dann is er zum Schrank gegangen. Holte seinen blauen Anzug raus. Wo is der graue?

Hab ich getauscht.

Das hatte sie richtig patzig gesagt und ihm die Marineuniform gezeigt. Er starrte die Uniformjacke an. Er sah sie an. Und sie sah in seinem Gesicht, wie er mit sich selber kämpfte, wie er überlegte, was er tun sollte, denn das, was er sagte, entschied ja über alles weitere, sollte er toben, sollte er sagen, was wahrscheinlich damals viele gesagt hätten und auch haben: Während ich meine Knochen hinhalten mußte, liegst du im Bett und vergnügst dich mit einem andern. Aber er wird sich auch gedacht haben, daß er eben das nicht sagen darf. Sie hätte einfach sagen können: Wo hast du denn die ganze Zeit gesteckt? Und von wegen Knochen hinhalten, daß ich nicht lache.

Ich war in dem Moment nicht mal aufgeregt, sagte Frau Brücker und nahm vorsichtig das Strickzeug vom Tisch.

Er pulte an dem Narvikschild, dann am Reiterabzeichen. Er wollte was sagen, einen dämlichen Witz machen, ich dachte, wenn er das tut, schmeiß ich ihn sofort raus.

Er sah sie an und bemerkte, daß ihre Unterlippe ziemlich schmal war und daß sie ihn fixierte, ihn ansah, mit einem Blick: Komm, sags schon, dann knallts.

Gut, sagte er, wir sind quitt.

Quitt ist gut, da fehlen noch gut zwölf Jahre und mindestens hundert Männer. Sie schluckte das runter, sagte nichts.

Einen Monat später kam der Kantinenleiter aus der Gefangenschaft zurück. Dr. Fröhlich ließ Lena Brücker rufen. Fröhlich saß hinter seinem Schreibtisch, sagte nur: Sie sind ja nun überflüssig, nicht. Kann ich denn wenigstens als Bedienung arbeiten? Sagte Fröhlich mit einem käsigen Grinsen: Sind schon genug Hände da, den Karren aus dem Dreck zu ziehen.

Lena Brücker ging nach Hause, wo sie von jetzt an kochte, putzte und an Bremer denken mußte, der hier geputzt und gewaschen hatte, und immer wieder – wie jetzt sie – zum Fenster gegangen war, hinuntergeblickt hatte. Im Gegensatz zu ihm konnte sie jederzeit hinuntergehen, und dennoch fühlte sie sich wie eingesperrt. Hatte mal ne Kantine geleitet, war mit Leuten zusammengewesen, war ne schöne Zeit: telefonieren und organisieren. Die Leute von der Fischhalle sagten: Hallo, Frau Brücker, haben heute vier Kisten Schellfisch, der Mann von der Freibank: Heute is nix da, hab die Kantine vom Polizeipräsidium beliefern müssen, aber morgen sind Sie wieder dran, wie gehts denn?

Der Mann von der Einkaufsgenossenschaft Vierlande rief an: Hab heute ne Ladung angeditschten Salat, was Gutes für eure Schreibstubenhengste. Und dann lachte er dreckig. Nun saß sie zu Hause, paßte oft auf den Heinz auf, den Kleinen, den Edith, ihre Tochter, aus Hannover mitgebracht hatte, ohne Vater. Immer öfter, nachmittags, wenn alles geputzt, alles eingekauft, alles eingeordnet war, überfiel sie das Gefühl, keine Luft mehr zu bekommen. Manchmal blickte sie dann auf den Küchenboden, da, wo das Matratzenfloß gelegen hatte, wo sie sich hatten treiben lassen, nackt, und sich voneinander erzählt hatten, das heißt, sie hatte ihm von sich erzählt.

Die Zeit damals war, sagte Frau Brücker und sah mit ihren milchigen Augen ein wenig über mich hinweg, das Glück.

Vom Gang war ein feines Quietschen zu hören. Is der Rollstuhl von der Lüdemann. Stimmen. Das Anfahren eines Fahrstuhls. Ein fernes Husten.

Ne Zeitlang hab ich den einen mit dem andern ausgetauscht, im Kopf jedenfalls. Mußte nur die Augen zumachen. Das geht, aber eben nur ne Zeitlang. Verliert sich langsam. Und dann wird er langsam der, der auch wirklich auf einem liegt. Man riecht es, man spürt es, kommt man auch mit fest geschlossenen Augen nicht gegen an.

Gary war unter der Woche mit seinem Laster unterwegs. Fuhr für die englische Militärbehörde. Transportierte Drehbänke und andere Werkmaschinen ab. Die Tommys demontierten die und schafften sie nach England. Manchmal fuhr er Verpflegung. Kam Freitagabend nach Hause, mit einer Tasche voll schmutziger Wäsche. Brachte aber auch immer was zu Essen mit.

Ging ins Bett und schlief, wie n Toter, ohne zu schnarchen, kaum daß er sich regte. Samstags saß Gary im Sofa, unrasiert, Beine auf dem Sessel, trank Bier und blätterte in der Lesemappe. Gegen Abend begann er sich einzuseifen, rasierte sich scharf, puderte das Gesicht, tönte die langsam grau werdenden Augenbrauen, ließ sich die Wimpern beim Friseur dunkel färben, sah tatsächlich aus wie Gary Cooper, mit blitzblauen Augen, auch mit den Tränensäcken, nur daß ihr Gary etwas versoffener aussah, schon damals. Er zog sein maßgeschneidertes Hemd an, den Anzug, fragte scheinheilig, ob sie mitkommen wolle, nee, dann griff er in die Hosentasche und blies auf dem Kamm: Ade, mein Liebchen, und ging in eine der Bars, wo gespielt und getrunken wurde, in denen die Amis und

Tommys saßen, mit irgendwelchen Landpomeranzen, die mit ihren Busen und Hintern das große Glück suchten. Wollten raus aus Hunger, Trümmern, Kälte. Kalifornien, dahin wollten alle, dann Ostküste, zuletzt Liverpool.

Nachts kam er nach Hause, stank nach Schnaps und Bier und Rauch, und manchmal kam wie ne Spinne seine Hand unter der Decke die Beine rauf, ließ sie jedesmal wieder im Schlaf zusammenzucken, aufschrecken. Dachte wohl, muß mir was Gutes tun. Hopp und ex. War dann jedesmal ein Gefühl wie n kalter Stein im Bauch.

Nach drei Monaten begann sie sich herauszureden, sagte, daß sie Hefepilze habe. Die hatte sie mal gehabt, vor zehn Jahren, und plötzlich juckte es bei beiden, wenn sie miteinander schliefen. Da kam die Hand nicht mehr. Sie konnte nun ruhig schlafen, wenn er nicht allzu laut schnarchte, was immer erst sonnabendnachts losging. Komisch, nich? Oder wenn er nachts nach Hause kam und betrunken den Nachttisch anpißte.

Dann, es war ein Freitagabend, Anfang November, kam er, stellte wie immer die Unterwäsche hin, trank vier Bier und fiel ins Bett.

Am Samstag saß er im Wohnzimmer, an den Füßen die Schlappen, und blätterte in der Lesemappe, eine schon abgegriffene labbrige Lesemappe, die sie aus sechster Hand bekam. Lena Brücker war dabei, die Wäsche in der Zinkwanne einzuweichen. Mußte ja noch alles mit der Hand gewaschen werden. Sie stellte das Waschbrett in die Wanne, rubbelte eine Unterhose von ihm, insbesondere die Stelle, wo in einem schmalen Strich braun seine Scheiße eingetrocknet war. Zog die nächste Unterhose aus dem Seifenwasser. Es war ein Damenschlüpfer. Ein weißer

Schlüpfer, der aber etwas, nein, viel knapper geschnitten war als ihre. Die Gummis eng, sehr eng, würden unter engen Röcken jene herzchenhafte Form in den Hintern eindrücken, die, wie sie wußte, Gary so mochte. Sie fischte aus dem großen Wäschekessel einen von ihren Schlüpfern heraus. Hielt ihn daneben. Wie weit ihre waren, sahen aus wie Flügelunterhosen. Würde sie in einem ihrer Schlüpfer aus dem Fenster springen, er würde ihr an den Beinen flattern. Sie stand da, starrte auf ihre Hände in der Zinkwanne, diese vom heißen Waschwasser rötlich angelaufenen Handrücken, die weiß verschrumpelten Finger. In dem Moment rief ihr Mann: Hol mir mal ne Flasche Bier, kalt! Er verlangte, sie solle in die Kneipe an der Ecke gehen und kaltes Bier holen, denn einen Kühlschrank hatten sie damals noch nicht. Da nahm sie die Hände aus dem Waschwasser, ging zum Küchentisch, zog langsam die Schublade auf, in der all die Brot- und Fleischmesser lagen, schob sie dann aber mit einem Ruck wieder zu. Sie rief rüber: Guck doch mal raus, Gary, hat, glaub ich, geklopft. Er hatte nichts gehört, ging aber zur Tür. Im Treppenhaus war es dunkel. Er machte Licht, und in dem Augenblick, als er sich über das Treppengeländer beugte, hinunterblickte, schlug sie die Wohnungstür zu. Er stand draußen und klingelte, klopfte, hämmerte, schließlich trat er gegen die Tür. Er tobte. Sie stemmte sich von innen gegen die Wohnungstür. Seine flache Hand kam plötzlich durch den Briefschlitz, wie die Arme eines Kraken bewegten sich die Finger, versuchten, den Griff zu fassen. Da schrie sie. Sie hörte Stimmen aus dem Treppenhaus. Sie hörte Claussen von unten brüllen: Ruhe da oben. Und weil ihr Mann weiter herumbrüllte, hörte sie, wie Claussen die Treppe hochstieg, seinen schweren Schritt, ein Mann wie ein Kleiderschrank, ein Mann, der Fünfmarkstücke verbiegen konnte.

Ruhe, oder es knallt, verdamminochmol!

Vor der Tür wurde es ruhig. Sie hörte das Knarren der Stufen. Baggerführer Claussen stieg hinunter, und dann ihr Mann. Er ging in Hemd und Hose, an den Füßen die Schlappen. Sie stand hinter der Gardine am Küchenfenster und starrte hinunter in die Brüderstraße, dieses kleine Stück, das von oben zu überschauen war, das Stück gepflasterter Fahrbahn, die Bürgersteige. Sie sah ihn, wie er unten vorbeiging, ohne hochzublicken, schlurfte er weg, in seinen Schlappen, und kam nie wieder.

Von da an hatte sie ihre Ruhe, allerdings auch zwei Kinder zu versorgen. Denn Edith, ihre Tochter, hatte noch keine Arbeit. Und dann war da noch der kleine Heinz. Der Vater von Heinz, Ediths Freund, ein Pionierleutnant, blieb vermißt, nicht in Rußland, sondern in Brandenburg. Verrückt, nicht?

Ich mußte sie von Edith und dem vermißten Pionierleutnant ab- und wieder hinbringen zur Currywurst. Ich sagte, draußen geht ein leichter Westwind, strichweise mit Regen. Wollen wir zum Großneumarkt fahren? Wir könnten eine Currywurst essen?

Das is dann wieder so ne Hetze.

Nein, sagte ich, da kann man parken, das ist kein Problem.

Und dann diese labberige Currywurst. Nee auch.

Sie wollte dann doch. Ich denke, aus dem einfachen Wunsch, noch einmal über den Platz zu gehen, auf dem sie dreißig Jahre ihren Stand hatte, jeden Morgen hin, abends zurück. Nur sonntags geschlossen. Dreißig Jahre keinen Urlaub, keinen Tag gefehlt. Auch im Schneetreiben Würste gebraten, Bier verkauft, Gurken auf den Pappteller gelegt. Sie wollte die Geräusche hören, die Elbe riechen, ja, man kann dort die Elbe riechen, bei Westwind: Brackwasser, Öl, Kloake, Mennige und dazu das metallische Dröhnen von den Werften, Niethämmer, die Schiffssirenen.

Sie hatte sich wieder ihren grünen Klepper-Regenmantel angezogen und die Plastikhaube über den braunen Topfhut gezogen.

Ich fuhr sie an dem Haus vorbei, in dem sie mehr als vierzig Jahre gewohnt hatte, die Haustür, die aufging und hinter dem hausschuhschlappigen Mann zufiel, oben das Fenster, an dem der eingeschlossene Bremer gestanden, wo er hinuntergeschaut hatte.

Alles sauber und frisch gestrichen, beschrieb ich ihr den Alten Steinweg, weiß die Gesimse und die Fenster, in einem hellgrauen Ton die Fassaden. Gegenüber ist jetzt ein spanisches Eßlokal. Spanisch? Ja, sagte ich. An der Ecke ist ein Geschäft für Büromöbeldesign. Wir bogen in die Wexstraße. Der Zigarettenladen von Herrn Zwerg ist noch da. Herr Zwerg steht hinter dem Ausbauer und putzt sein Glasauge. Soll ich anhalten?

Ach nee, sagte sie, lot mol.

Brüderstraße, Wexstraße, da war der Schwarzmarkt. Von dort kamen sie dann rüber zum Großneumarkt, an ihren Stand, Großschieber wie Kleinanbieter, um sich zu stärken, eine Limo, einen Eichelkaffee, eine Bratwurst, oder aber eine Currywurst.

Die Currywurst, fragte ich vorsichtig, schon damals?

Ja doch, die war sehr gefragt. Das Geschäft ging gut, so gut wie nie mehr später, sagte sie, das heißt 68 war auch gut. Kamen die Studenten. Danach aber gings bergab, kam McDonald's mit seinen Pappbrötchen und dann die Dönerläden. Aber 47, das war ne Zeit. Wurde nich mit Geld bezahlt, sondern getauscht: Eine Currywurst und eine Tasse echte Bohne, das warn, je nach Tageskurs, drei oder vier Amis. Natürlich konnt man auch auf Pump essen. Stammkunden. Wurde dann am Wochenende abgerechnet, in Zucker, Schokolade, Schmalz. Kompliziert. Klar, aber das machte gerade Spaß, man mußte ne Nase dafür haben. Sie hob den Kopf, sah mit ihren milchig blauen Augen in meine Richtung und faßte sich an ihre Nase. Es war eben nicht alles festgelegt durch Geld, man mußte wissen, was gebraucht wurde, was knapp war. An ihrer Bude wurden bei Kaffee und Currywurst auch größere Geschäfte gemacht. Ihre Bude war ein Treffpunkt, eine Art Börse unter freiem Himmel. Zum Beispiel 18 Platten Tabak aus Virginia wurden gegen 22 Kisten Bücklinge, einen Demijohn reinen Alkohol, vier stark abgefahrene Autoreifen oder zwanzig Kilo gesalzene dänische Butter getauscht. Die Kunst bestand darin, die Werte, also Angebot und Nachfrage, so verschiedener Dinge wie gesalzene dänische Butter, Bücklinge und Plattentabak richtig einzuschätzen. Und diese Werte veränderten sich ja schon während der Schätzung. Die Währung war die Zigarette, nicht irgendeine, sondern die Chesterfield oder Players.

Was durchaus seine innere Logik hat, denke ich, denn diese Zigarettenwährung war nicht nur begehrt, allgemein einheitlich und haltbar, sondern auch unter einem ästhetischen Gesichtspunkt schön: rund, weiß, leicht. Vor allem, sie hatte einen Gebrauchswert, nicht wie die Reichsmark, mit der man, verlor sie weiter an Wert, sich allenfalls noch eine Zigarette anstecken konnte. Und nicht zufällig hat sich nicht irgendein anderer Gebrauchswert dafür angeboten, so nahrhaft verderblich und schlecht transportabel wie Butter oder Schmalz, sondern diese leichten, in jede Jackentasche passenden Stäbchen. Der Gebrauchswert der Zigarette, weder nahrhaft noch nützlich, liegt einzig und allein im Verzehr, soll sich in Duft, das heißt, die Nerven beruhigenden Geschmack und in Rauch auflösen, wobei von diesem Tauschwert, wurde er tatsächlich realisiert, lediglich, dem anarchischen Schwarzmarkt entsprechend, etwas Asche übrigblieb. Ich war mit meinem Vater, einem süchtigen Raucher, mehrmals auf diesem Schwarzmarkt gewesen. Und wahrscheinlich habe ich schon damals an der Bude von Frau Brücker gestanden. Aber nie wäre es meinem Vater in den Sinn gekommen, eine Currywurst zu essen oder gar mir eine zu spendieren.

Wie sind Sie an die Bude gekommen, fragte ich Frau Brücker. War n Tip von Frau Claussen. Der Besitzer war n alter Mann, machte Kartoffelpuffer, mit Sägespäne gemischt. Richtige Magenfüller. Der bekam einen Schlaganfall, konnte nicht mehr die Kartoffeln schleppen. Mußte die Bude verpachten: zwei Brote und ein Pfund Butter die Woche.

Sie war hingegangen und hatte sich die Bude genau angesehen. Eine Bretterbude. Darüber eine alte Schiffspersenning gespannt, durch die es bei Regen durchleckte. Sie dachte an die von Bremer zurückgelassene Feldplane, die noch immer so, wie er sie zusammengefaltet hatte, in der Kammer lag. Die konnte sie über den Stand spannen. Steh ich im Trocknen.

Die Schwierigkeit war, etwas Eßbares aufzutreiben. Der Alte hatte einen Bruder, der Bauer war. Sie mußte sich was überlegen. Vielleicht Kalbswürste aus Weißkohl.

Geht denn das?

Klar, alles ne Frage des Abschmeckens.

Am Großneumarkt parkte ich das Auto. Ich half ihr beim Aussteigen, betonte, um sie zu beruhigen, daß wir viel Zeit hätten. Ich führte sie langsam durch den Regen über das Kopfsteinpflaster. Der Blumenstand war noch immer da. Nur wenige Leute waren auf dem Platz. Drei Penner saßen unter einer Plastikplane auf einer Bank und tranken aus einer Korbflasche Rotwein.

Na, gibts noch die Imbißbude?

Ja, das heißt, nein, das ist keine Bude. Das ist ein großer Anhänger, so eine Art Campingwagen, weiß lackiert, doppelachsig, technisch auf dem neuesten Stand, eingerichtet mit Edelstahlspüle, Kühlschrank, Hähnchengrill, Wurstsotto, Friteuse. Dieser Wagen war in nichts zu vergleichen mit der alten Bretterbude von Frau Brücker und ihren gußeisernen Pfannen.

Zweimal Currywurst.

Der Mann nahm eine Wurst und steckte sie in eine kleine Maschine, unten fielen die Scheiben heraus. Dann steckte er die nächste hinein.

Was is n das für n Geräusch?

Ein Wurstzerkleinerer, erklärte der Mann, angeschafft vor einem Monat. Gibt es aber schon seit langem in Berlin. Hier in Hamburg ist man immer hinterher.

Einen Moment überlegte ich, ob ich nicht sagen sollte: Hören Sie, vor Ihnen steht die Entdeckerin der Currywurst, aber dann dachte ich daran, daß ich auf die Frage, wie und wann sie die Currywurst entdeckt habe, noch keine Antwort wußte. Auch Frau Brücker schwieg. Verwegen sah sie aus mit ihrem braunen Topfhut unter dem Regenschoner aus Plastik. Sie starrte an die weiße Wand des Imbißwagens.

Wie geht n das Geschäft, fragte sie.

Nich so gut, bei Regen is gar nix.

Seit wann stehn Sie n hier?

Seit drei Jahren, war früher in Münster. Will wieder zurück. Keine gute Gegend hier. Zuviel Schickimicki. Von denen ißt keiner ne Currywurst. Er schob uns die Pappteller rüber. Macht sechsachtzig.

Die Wurst war vom draufgeklatschten Ketchup kalt, und das Currypulver, ein Fabrikat aus Oldenburg, war nur drübergestreut. Eine Schweinswurst mit kleinen blauglasigen Stückchen, Resten von Knorpeln und Borsten darin. Ich gab Frau Brücker ein zweizackiges Plastikspießchen und führte ihre Hand zu dem Pappteller. Sie pikste ein Stück Wurst auf. Sie kaute langsam, nachdenklich. Ihrem Gesicht war nicht anzumerken, wie ihr die Wurst schmeckte. Ein alter Mann kam und bestellte sich ein Bier und ein paniertes Schnitzel. In dem Moment stieß Frau Brücker den Pappteller mit der Currywurst an. Er fiel vom Tisch. Ich sammelte den Pappteller mit dem Matsch aus Curry, Ketchup und den darin pikenden Kippen vom Boden auf und warf alles in den Abfalleimer.

Lassen Sie doch liegen, sagte der Budenbesitzer, frißt der Hund.

7

Am Donnerstag, meinem letzten Tag in Hamburg, brachte ich Frau Brücker einen kleinen Baumkuchen mit. Sie bestand darauf, daß wir ihn gleich anschneiden. Hugo kam, brachte die drei rosa Pillen, bekam eine Scheibe Baumkuchen, musterte das auf dem Tisch liegende Vorderteil des Pullovers, in dem sich der Hügel gerundet, die Spitze der Tanne den Himmel erreicht hatte und eine kleine gelbe Rundung den wachsenden Sonnenball ankündigte. Toll, sagte er. Den Kaffee konnte er nicht mehr austrinken, weil sein Piepser ihn in den unteren Flur rief. Der alte Teltow irrte wieder durch die Gänge.

Wieviel Maschen bis zur Sonne? Ich zählte dreißig, und sie legte sich den blauen Himmelsfaden über den Finger, ließ den Sonnenfaden hängen und begann zu stricken, erzählte weiter, ohne daß ich sie durch Fragen dahin bringen mußte, wo sie gestern aufgehört hatte: Ihr war klar, mit Weißkohl-Bratwürsten konnte sie nicht ins Geschäft kommen. Holzinger gab ihr den Hinweis auf eine alkoholsüchtige Wurstfabriksbesitzerin in Elmshorn.

Noch am selben Abend begann Lena Brücker damit, die Uniform von Bremer zu einem Kostüm umzuschneidern. Es war buchstäblich ein Einschnitt, auch in ihrem Leben. Sie trennte die Uniformjacke auf. Und dabei sang sie, was sie sonst nie tat, weil sie fürchterlich falsch sang und nie den richtigen Ton traf. Edith kam und fragte, wer singt denn da? Du kannst ja plötzlich richtig singen. Klar doch. Und sie sang, hielt die Stimme und den Ton: Am Brunnen vor dem Tore. Dann beugte sie sich schon wieder über das Schnittmuster. Gottlob trug die Marine Hosen mit weitem Schlag, und so reichte der Hosenstoff für einen Bahnen-Kostümrock. Die Jacke konnte sie in der Taille durch Abnäher an ihre Figur anpassen, mußte sie aber über dem Busen mit zwei Knöpfen offenlassen. Das nahm ihrem Bild im Spiegel nichts von dem Geschäftlich-Seriösen: ein marineblaues Kostüm mit feuervergoldeten Knöpfen, und die konnte sie, weil sie einen Anker, kein Hakenkreuz zeigten, übernehmen.

Ende Oktober, an einem Donnerstag, zwängte sich Lena Brücker in einen überfüllten Eilzug nach Elmshorn und fragte sich dort zu der Wurstfabrik Demuth durch. Neben der Fabrik stand die Villa der Besitzerin. Lena Brücker ließ sich anmelden und wurde von einer grauhaarigen Dame, der keine Alkoholexzesse ins Gesicht geschrieben waren, empfangen. Lena Brücker stellte sich als Imbißbuden-Pächterin vor, die pro Werktag 50 echte Kalbsbratwürste haben wolle, echte, nicht mit Schweinefleisch gestreckte, auch nicht mit Sägemehl oder altem Fensterkitt angereicherte. Frau Demuth fragte, ob sie eine Bezugsberechtigung habe. Nein. Aber sie könne für die wöchentlichen 300 Würste eine Flasche Whisky anbieten. Frau Demuth dachte nach. Ob das echter englischer Whisky sei oder nur deutscher Eigenbrand? Lena Brükker sagte tapfer, echter schottischer Whisky. Frau Demuth schluckte und sagte schließlich: Gut. Aber 300 Stück, das sei zuviel. 250 Stück. Das sei das äußerste, was sie bieten könne.

Lena Brücker überlegte. Kalbsbratwürstchen waren

ein Luxusartikel ersten Ranges, etwas ganz und gar Ausgefallenes. Man würde sich darum reißen. Wenn sie die Bratwurst für zwei Zigaretten plus fünf Reichsmark abgeben würde, wären das 500 echte Amis, und gegen 300 war schon ein gut gepanschter Whisky in schottischen Originalflaschen zu bekommen. Blieb pro Woche ein Gewinn von 200 Amis plus 1250 Reichsmark.

Sie fuhr in einem überfüllten Zug zurück. Sie stand draußen, auf dem Trittbrett, an die Griffe geklammert. Es war ein milder Herbsttag, dennoch, der Fahrtwind, der in ihrem Haar wühlte, ließ ihre Hände erst kalt, dann eisig, schließlich fühllos werden. Gottlob war der Marinestoff noch gute Vorkriegsware, Schurwolle. Sie bereute es jetzt aber, keinen Mantel angezogen zu haben. Der war ihr so schlabberig, ja geschäftsschädigend erschienen. Und sie ärgerte sich, die Hosen in einen Rock umgeschneidert zu haben, denn der Fahrtwind fuhr ihr darunter, und immer, wenn sie unten kalt wurde, mußte sie pinkeln. Das hätte sie schon vor der Abfahrt tun müssen, hatte sich dann aber doch den Platz auf dem Trittbrett gesichert. Sie fuhr und konnte nicht mehr an Tausch, Würstchen und Whisky denken, sondern war allein darauf konzentriert, nicht loszupinkeln, was für Frauen mit ihrem kurzen Harnleiter weit schwieriger ist als für Männer. Die Telegrafendrähte schwangen vorbei. Sie versuchte sich abzulenken, indem sie die Masten zählte, 327, 328, 329. Neben ihr stand ein Mann in einem Ledermantel der Luftwaffe, einen Rucksack auf dem Rücken, der kam, wie er erzählte, von einer Hamstertour, hatte Familiensilber gegen Butter und Speck beim Bauern getauscht. Muß man erleben, wie die sich inzwischen auskennen, gucken das

Besteck an, sagen dänisches Silber, Jugendstil. Tatsache. Kennen Sie den? Ein Hamsterer kommt zu einer Bäuerin, zeigt einen Picasso. Sagt die: Nein danke, wir sammeln nur Braque.

Da lachte Lena Brücker los, lachte, nicht über den Witz, weil ihr Braque nichts sagte, nein, sie lachte erleichtert, und immer lauter, weil sie endlich, endlich einfach losgepinkelt hatte, warm lief es ihr an den Beinen herunter.

Sie blickte hinunter und sah, daß der Fahrtwind auch das Hosenbein des Mannes besprüht hatte. Der Mann fragte mißtrauisch, warum sie denn so hemmungslos lache.

Ich mach mich naß, brachte sie endlich heraus.

Haben Sie so einen guten Tausch gemacht?

Ja. Ich mach mich selbständig.

Sie hielt das Gesicht in den Fahrtwind. Die Sonne schien wie hinter Milchglas. Auf der Weide stieg ein Pferd und galoppierte ein Stück von dem Zug weg. In dem Augenblick fiel Lena Brücker ein, was sie noch zum Tausch anbieten konnte: das silberne Reiterabzeichen von Bremer.

Am gleichen Abend besuchte Lena Brücker ihre Freundin Helga, die sie noch aus der Lebensmittelbehörde kannte. Helga besaß ein wertvolles Vermögen: Sie sprach Englisch perfekt. Sie lernte denn auch, kaum war das Fraternisierungsverbot aufgehoben, einen englischen Major kennen. Dieser Major sammelte deutsche Orden und Ehrenzeichen. Ein Sammler von einem Format, wie sie nur die Engländer hervorbringen. Mit einem Sinn für das Ungewöhnliche. Nicht wie die texanischen GIs, denen man gleich drei Mützen von Göring in unterschiedlicher Kopfgröße andrehen konnte. Der Major hatte schon eine beachtliche Sammlung zusammengetragen: Eiserne Kreuze erster und zweiter Klasse, Verwundetenabzeichen, schwarze, silberne und goldene, Nahkampfspangen aller Stufen, das Deutsche Kreuz in Gold (mit Kugeldurchschuß), das Narvikschild, Abzeichen der U-Boot-Fahrer, Klein-U-Boot-Fahrer, Kampfschwimmer, aber auch so ausgefallene Orden wie die Schwerter zum Eichenlaub des Ritterkreuzes – die Brillanten fehlten ihm noch –, und nun hörte er von dem silbernen Reiterabzeichen. Er kam extra in die Brüderstraße, stieg die drei Treppen hoch und hielt das Abzeichen in den Fingern, eben dieses Reiterabzeichen, das der Bootsmann Bremer mit seiner blauen Marineuniform zurückgelassen hatte, dieses so unkriegerische Abzeichen, auf dem ein Mann das Pferd zu einer Levade aufrichtet. Echten Whisky, da lachte er nur. Den suche er selbst. Aber Holz könne er anbieten. Er war von der britischen Militärbehörde eingesetzt worden, über die Lauenburgischen Forste zu wachen. Die wurden abgeholzt und – zu Brettern zersägt – als Reparationsgut nach England verschifft. Lena Brücker ließ den Major durch ihre Freundin fragen, was er für das silberne Reiterabzeichen bieten könne. Ein Andenken. Helga redete, und der Major steckte sich sein Exerzierstöckchen unter den linken Arm, streifte seinen rechten, wunderbar weichen, braunen Lederhandschuh von der Hand, nahm das silberne Reiterabzeichen, das Lena Brücker blitzblank poliert hatte, in die Hand. Dann sagte er: Well, und etwas auf englisch, was die Freundin mit 24 Festmeter Holz übersetzte, was sehr viel sei, wie die Freundin weiter übersetzte. Wieder sagte er etwas, und ihre Freundin übersetzte: zu Brettern oder Vierkanthölzern zersägt. Und da sagte Lena Brücker: O. K.

Zu Hause las sie im Lexikon (Volksausgabe): 1 Festmeter Holz ist gleich 1 Kubikmeter, also ein Kubus von einem Meter Kantenlänge. Das wäre also, bekäme sie das Holz geliefert, eine Fläche von 6 mal 4 Meter, oder 3 mal 4 Meter, dann aber schon zwei Meter hoch. Sie erschrak. Gleich so viel. Für so n Abzeichen. Aber Wald und Holz gehörten ja nicht dem englischen Major. Wo sollte sie mit dem Holz bleiben? Sie mußte es also, noch bevor es geliefert wurde, schon weitergetauscht haben. Sie wollte ja keinen Holzhandel aufziehen, sondern die Bratwürste haben, außerdem mußte sie Öl für die Kartoffelpuffer auftreiben, die sie ins Angebot aufnehmen wollte, reines Pflanzenöl, nicht was neulich Frau Claussen angedreht worden war: altes Motorenöl.

Pflanzenöl, da kenne er, sagte ein Großschieber, der Lena Brücker empfohlen worden war, jemanden, der weiterhelfen könne, allerdings brauche der bestimmt kein Holz. Das ist nämlich der englische Intendanturrat, der das gesamte Proviantlager in Soltau unter sich habe, ein glatzköpfiger Zwerg und Albino, aber eine Frau habe der –: so, und der Schieber küßte sich die Fingerspitzen seiner Hand mit den manikürten Fingernägeln. Rotblond, hoher Wasserfall. Teppiche, Silber, Granatschmuck, damit kann man dem kommen, alles legt dieser Albino seiner Frau zu Füßen – nur so kommt der an die ran.

Das blaue Wollknäuel fiel Frau Brücker runter, rollte durch das Zimmer. Ich hob es ihr auf. Mußte bitte aufwickeln, aber richtig, daß es sich nicht verheddert.

Das, immerhin, war eine Fährte, denn Lena Brücker hatte von einem Mann gehört, der, aus der sowjetischen Besatzungszone kommend, 300 Fehfelle rübergebracht hatte, die wiederum irgendein russischer Stabsoffizier aus Sibirien mitgebracht hatte. Der Mann wollte die Fehfelle gegen Chloroform tauschen, war aber weder an Vierkanthölzern noch an Brettern interessiert. Sie bekam einen Tip: Der Chefarzt einer Frauenklinik suchte für Dachstuhl und Fußboden seiner ausgebrannten Villa Holz.

Nun galt es noch, den Intendanturrat oder, genauer, dessen Frau zu ködern, um an den Whisky, an Tomatenketchup und Öl für die Kartoffelpuffer heranzukommen. Sie hatte sich vorgenommen, weniger Sägespäne beizugeben, allerdings auch den Preis heraufzusetzen.

Wenn das gelang, hatte sie eine stabile Gleichung. Sie ließ den Intendanturrat durch den Großschieber einladen, verabredete sich mit Helga, die dolmetschen sollte, und fuhr nach Othmarschen, wo der Besitzer der Fehfelle wohnte, ein mit dem Eichenlaub zum Ritterkreuz dekorierter ehemaliger Panzeroberst. Lena Brücker saß mit Helga in dem düsteren Eichenwohnzimmer. Die Frau des einbeinigen Oberst stellte ihnen zwei Gläser mit Holundersekt hin. Es klingelte, und der Intendanturrat trat ein. Er war klein, aber durchaus kein Zwerg, auch war er nicht glatzköpfig und erst recht kein Albino. Die Frau hingegen hatte der Großschieber richtig beschrieben, rotblondes Haar, die Augenbrauen wunderbar geschwungen, und einen Teint, so durchsichtig hell und rein wie Porzellan. Und alle Gliedmaßen – sie überragte den Intendanturrat um Haupteslänge – schlank, die Finger, die Arme und – ohne staksig zu sein – die Beine.

Sie trug einen grauen Persianermantel und einen Persianerhut in Form eines Dreispitzes, mit einer großen Perlmuttmuschel an der Krempe. Der Panzeroberst begrüßte die Frau galant mit einem Handkuß, was er weder bei Lena Brücker noch bei ihrer Freundin Helga getan hatte. Dann brachte er die Fehfelle, die schon gegerbt waren. Die Frau des Intendanturrats ließ die kleinen Felle durch die Hand gleiten. Wunderbar weiche graue Felle mit schneeweißer Wamme und kleinen Schweifen mit schwarzen Spitzen, und Lena Brücker, in ihrem seriösen Marinekostüm, sah sofort: Die läßt die Felle nicht mehr los, der kroch auf eine weiche Weise der Wunsch in die Finger, in die Innenseite der Hand und von da durch den Rücken in den Kopf. Und was sie in der Handfläche fühlte, kam aus dem wie rot lackierten Mund als samtlokkender Laut, wonderful. Was Lena Brücker nicht verstehen konnte, aber dennoch verstand, denn es bewirkte bei diesem Mann, den sie Kiiez nannte, ein Nicken mit dem Kopf. Der Intendanturrat ließ durch Helga fragen, was Lena Brücker für einen fertigen Mantel haben wolle.

Das hatte sie sich aufgeschrieben und gab ihm den Zettel: 20 Liter reines Pflanzenöl, 30 Flaschen Ketchup, 20 Flaschen Whisky und 10 Stangen Zigaretten.

Tuuuu matsch, sagte er. Und Lena Brücker war, ohne auch nur ein Wort Englisch zu können, klar, was das hieß, so viele Us –: zu viel. Er begann mit einem silbernen Drehstift Zahlen auf den Zettel zu schreiben, die sie wiederum korrigierte, dann wieder der Intendanturrat: 20 Liter Öl, 30 Flaschen Ketchup, 10 Flaschen Whisky, 5 Stangen Zigaretten.

Dann sagte Lena Brücker zum zweiten Mal: O. K.

Damit konnte der Ringtausch beginnen. Sie tauschte das silberne Reiterabzeichen gegen das Holz, das Holz gegen das Chloroform, das Chloroform gegen die Fehfelle.

Jetzt mußte sie noch jemanden finden, der ihr aus den Fellen einen Mantel machen konnte. Ihr wurde von meiner Tante, die ja unten im Haus wohnte, mein Vater empfohlen, der, weil er eine Pelznähmaschine in den Trümmern eines Hauses gefunden hatte, sich gerade daran machte, Kürschner zu werden.

So kam mein Vater in die Geschichte, er, der aus englischer Kriegsgefangenschaft entlassen, seine juchtenledernen Reitstiefel gegen Essen umtauschte und, um zu überleben, anfing, Pelzmäntel zu reparieren. Aber konnte er, der noch nie einen Mantel gemacht hatte, einen Fehmantel anfertigen?

Ja, sagte sie, ich hatte Angst. War ja mein ganzes Kapital drin.

Auch mein Vater träumte damals schwer. Ein Alp ritt ihn, ein Alp in einem viel zu kurzen, stark verzogenen, unten zu einem Sack zusammengenähten Pelzmantel.

Ich konnte endlich meine Frage stellen: Wie war er, ich meine, wie wirkte er, damals, mein Vater?

Na ja, sagen wir mal so, ja wie soll ich sagen, wie einer, der bessere Zeiten gesehen hatte. Und son bißchen zackzack. Und, sie dachte nach, wie einer, der schon viele Fehmäntel gemacht hat.

So habe ich meinen Vater in früher Erinnerung. Er sitzt im grün gefärbten Militärmantel, eine blau gefärbte Militärmütze auf dem Kopf, und schneidet die Vorderpfötchen in Ellipsenform heraus, näht sodann auf der

Pelznähmaschine das Loch zu, er schimpft, aber leise, er bestreicht das Leder mit Wasser und zieht und zupft die Felle in die richtige Form, zweckt jedes einzeln mit Stecknadeln auf, schneidet Reste ab und näht die Felle aneinander. So entsteht ein Muster von einem Weiß, das in ein Mittelgrau übergeht, und in der Mitte des Fells in ein zartes Dunkelgrau. Aber jede Bewegung der Fellteile ist ein bewegtes, ein sich einschattendes und wieder aufhellendes Grau. Er hatte sich ein Buch gekauft: *Der deutsche Kürschner, ein Handbuch.* In diesem Buch blättert er immer wieder. Nach dem darin abgebildeten Beispiel entwirft er ein Schnittmuster, mißt und rechnet. Die Maße waren ihm zugeschickt worden. Der Intendanturrat wollte nicht, daß ein Fremder, zumal ein German, Hand an seine Frau legt, also Maß nimmt. Der Vater liest: Die Streifen der übereinandergenähten Felle werden nun an den Rändern beglichen, die Streifen sortiert, dann zusammengenäht, auf das Papiermuster gelegt. Das Leder gut mit Wasser anfeuchten und die Felle auf eine große Holzplatte aufzwecken. Die Fellreihen müssen mit Stecknadeln geradegezweckt werden. Trocknen lassen. Abzwecken, abermals begleichen, sodann zusammenheften.

Mehrmals mußte er mühevoll fummelig Nähte wieder auftrennen, weil er die hauchdünnen Haare büschelweise eingenäht hatte. Ich höre ihn, wie er vor sich hin flucht. Und noch eine körperliche Erinnerung: Ich darf mit meiner Mutter in dem einzigen Bett im Zimmer schlafen, während mein Vater sich nachts auf die Zweckplatte legt und mit dem Mantel zudeckt. An der Kellerwand glitzert im Schein der Petroleumlampe das gefrorene Wasser, eine märchenhafte, wunderbare Landschaft – vom warmen Bett aus gesehen.

Dann, nach einer Woche, kam der Tag der Anprobe. Die Ärmel waren eingeheftet, der Kragen aufgenäht, nur gefüttert war der Mantel noch nicht. Es war ein Tag, vergleichbar einem Stapellauf, und es war ein Freitag.

Zur Anprobe kam auch Frau Brücker. Am Morgen waren ihr auf Treu und Glauben die ersten Würste abgeliefert worden. Und sie hatte beim Auspacken festgestellt: Die haben ja keine Haut. Tja, sagte der Fahrer, fehlt Darm, ham wir nich. Er mußte weiter, ins britische Militärkrankenhaus, das auch von der Wurstfabrik beliefert wurde. Die Engländer sind mit den Würsten so ganz zufrieden. Die essen die als ne Art Streifenleberkäse. Kalbsbratwürste ohne Haut, das bedeutete, die Würste trocknen in der Pfanne aus. Frau Brücker hatte uns drei mitgebracht. Tatsächlich schmeckten sie ohne Fett etwas dröge. Aber doch gut.

Noch bevor die Frau des Intendanturrats eintraf, wollte Frau Brücker, die gleich groß, wenn auch kräftiger als die Engländerin war, den Mantel einmal anprobieren. Federleicht war der Mantel, kaum daß sie ihn spürte, und doch wärmte er wie eine Daunendecke. Lena Brücker stand vor dem Spiegel, einem der Länge nach gesprungenen Ankleidespiegel, und sah sich, wie sie sich noch nie gesehen hatte und nie wieder sehen sollte, einem Filmstar gleich, auch die leichte graue Strähne im Haar, die sie nach dem Weggehen Bremers bekommen hatte, sah aus, als sei sie kunstvoll eingefärbt worden, mit großem Können abgestimmt auf dieses wunderbar changierende Hellgrau mit den zartweißen Streifen des Fehmantels. Einen

Augenblick, eben den, als sie sich im Spiegel betrachtete, zögerte sie, ob sie den Mantel nicht einfach anbehalten sollte. Sie hätte ihn ja genaugenommen für dieses silberne Reiterabzeichen von Bremer bekommen, und das wurde ihr in diesem Moment klar, nie würde sie sich etwas so Ausgefallenes wie diesen Fehmantel leisten können. Aber dann dachte sie an den Imbißstand, von dem sie leben wollte, und an ihren Sohn, der seine Kaminkehrerlehre abschließen sollte, und an den kleinen Heinz, ihren Enkel, der bald die ersten Schuhe brauchen würde. Und so zog sie den Mantel wieder aus.

Schön, sagte sie, er ist wunderschön geworden.

Sie saßen im Keller, Frau Brücker und mein Vater, und rauchten. Sie war seit Bremers Aufenthalt eine Gelegenheitsraucherin geworden, drei Zigaretten im Monat, höchstens fünf. Mein Vater rauchte sechzig am Tag. Sie hatte ihm, der den Mantel für vier Stangen Zigaretten und zwei Kilo Butter angefertigt hatte, ein Päckchen Players geschenkt, als Zugabe. Sie saßen da und rauchten. Sie betrachteten den Mantel, der auf dem Bügel hing. Der erste Mantel, den mein Vater in seinem Leben gemacht hatte. Wunderschön sah er aus, schließlich war es ein Fehmantel, den die meisten Kürschner in ihrem ganzen Leben nicht unter die Hände bekommen. Sie warteten auf den Intendanturrat, der mit einem Wagen vorgefahren wurde. Der Chauffeur öffnete die Tür, und die Frau stieg aus, rotblond auf hauchdünnen Schlangenlederabsätzen, die schmalen Fesseln in einem schimmernden Seidenschwarz. Sie stiegen in den Keller hinab. Die Frau sah den Mantel, und Frau Brücker sah das Gesicht der Frau. Was wird sie gesagt haben: Wonderful, marvellous? Sie drehte sich vor dem Spiegel hin und her, machte ein paar Schritte, drehte sich wieder, so daß sich der Saum des Mantels glockenförmig öffnete. Ich glaub, die war mal Mannequin, sagte die blinde Frau Brücker. Plötzlich war der Keller hell, ja, er strahlte. Und er war erfüllt von einem schweren fruchtigsüßen Parfum, ein Duft wie aus einer anderen Welt. Der Mann, der Intendanturrat, sah seine Frau an. Auch er strahlte. Alle waren zufrieden, der Augenblick des Tauschs, dem ja viele andere Tauschaktionen vorangegangen waren, war gekommen. Ihr Geschäft konnte beginnen.

Der Intendanturrat sagte: Nice. Und als er auf dem Tisch eine Vase mit Trümmerblumen stehen sah, soll er gesagt haben: Wo man in solchen Trümmern Blumen auf den Tisch stellt, wird auch bald das Land wieder blühen. Sie sind wirklich tüchtig, die Germans, und er soll meinem Vater die Hand gegeben haben, ehrenvoll, Sieger dem Besiegten. Nur leider, übersetzte mein Vater den Intendanturrat, er habe leider kein Pflanzenöl. Frau Brücker erstarrte. Ich dachte, mich trifft der Schlag. Sie legte die Hand auf den Fehmantel. Aber er habe etwas anderes. Ich kann Ihnen entweder fünf Seiten Speck anbieten oder eine Kilodose Currypowder. Frau Brücker stand da, die Hand auf dem Fehmantel, und überlegte. Natürlich waren fünf Seiten Speck ein günstiges Angebot, leicht weiterzutauschen, leicht auch in der Bude zu verarbeiten und anzubieten, aber Curry, sie mußte an Bremer denken, an die Nacht, als sie auf der Matratzeninsel nebeneinanderlagen und er ihr diese Geschichte erzählt hatte, wie der Curry die Schwermütigen rettet, wie er im Traum über sich selber lachen mußte, daß ihm die Rippen weh taten, und daß sie alles ja für seinen Glücksbringer, dieses silberne Reiterabzeichen, bekam, und da sagte sie, gegen jeden ökonomischen Sinn und Verstand: Ich nehm den Curry.

Um Gottes willen, hab ich gedacht, was soll ich mit dem Zeug. Aber da saß sie schon in dem kleinen Armeelastwagen, der sie nach Hause fuhr. Und der Fahrer, ein rotblonder, rotbärtiger Engländer, der ihr immer mit seinem linken fingernagellosen knubbeligen Zeigefinger vor der Nase herumfuchtelte, redete auf sie ein. Sie verstand nichts, absolut nichts. Sie nickte mit dem Kopf und dachte an diesen verrückten Tausch. Wie konnte ich nur, dachte sie. Sie versuchte, noch auf der Fahrt nach Hause, die Dose aufzumachen, um das Gewürz zu schmecken. Der Tommy zog einen Schraubenzieher aus dem Ablagefach. Sie hebelte den Dosendeckel auf, tippte mit dem Finger in das Pulver und leckte daran. Gräßlich. Der Geschmack, ein bitteres Kuddelmuddel, nein, brennend scharf, so als würde eine Egge über die Zunge gezogen. Grauenvoll. Mein Gott, dachte sie, ich war verrückt. Wo hatte ich meine fünf Sinne? Was soll ich mit dem Zeug? Wer nimmt mir das ab? Das war nur mit Verlust zu tauschen. Ich hatte das Reiterabzeichen, mal abgesehen vom Whisky, den Zigaretten und dem Ketchup, gegen etwas Ungenießbares eingetauscht. Hätte ich doch den Fehmantel behalten.

Der Tommy half ihr, die Kisten mit dem Ketchup raufzutragen, bis zur zweiten Etage, wo jedesmal das Licht ausging, dann tappten sie weiter, und da passierte es, ausgerechnet sie, Lena Brücker, die Hunderte, Tausende von Malen die Treppen rauf- und runtergelaufen war, die ohne zu zögern, auch blind, weitergehen konnte, weil sie jeden Schritt, jede Unebenheit der Treppe kannte, stolperte, stolperte, weil sie an das Currypulver dachte, an diese Dose, die sie auf dem Karton mit den Ketchupflaschen trug, tatsächlich aber dachte sie an Bremer, dachte daran, wie sie hier hinaufgegangen waren, vor gut zwei Jahren, dachte daran, wie sie da oben siebenundzwanzig Tage gelebt hatten, in schöner Eintracht, bis zu diesem Streit, bis er sich an der Türklinke die Hand blutiggeschlagen hatte, bis sie diese schrecklichen Fotos gesehen hatte, bis er weggegangen war, im Anzug ihres Mannes, einfach verschwunden, so wie nur Männer verschwinden können, und jedesmal wieder schoß ihr die Scham in den Kopf, wenn sie daran dachte, was er wohl über sie gedacht hatte, als er nach den vier Wochen durch die Stadt wie durch eine andere Welt gegangen war. Sie hatte immer gehofft, er würde sich einmal melden, damit sie alles hätte erklären können. Aber sie hatte nie wieder etwas von ihm gehört, und da war sie auf der dunklen Treppe ins Stolpern gekommen. Klatsch. Drei Flaschen Ketchup waren kaputt. Sie machte oben Licht, schloß die Tür auf. Ein roter Matsch. Und in dem Matsch auch noch das Currypulver aus der Dose, die sie im Auto aufgemacht hatte, um an dem Curry zu lecken. Und da setzte sie sich auf die Treppe und begann zu heulen, konnte dem Tommy, der sie zu trösten versuchte, nicht erklären, daß es nicht die drei kaputten Ketchupflaschen waren und auch nicht das Currypulver, das verschüttet war, auch nicht, daß ihr das Zeug nicht schmeckte, daß sie glaubte, den denkbar schlechtesten Tausch ihres Lebens gemacht zu haben, schon gar nicht, daß sie an Bremer dachte, der einfach gegangen war, an ihren Mann, den sie rausgeschmissen hatte, und daß ihr Haar inzwischen eine graue Strähne hatte, bald aber ganz grau sein würde, daß alles in den letzten Jahren irgendwie vorbeigegangen war, fast unmerklich, einmal abgesehen von den Tagen mit Bremer. Der Tommy bot ihr eine Zigarette an, und so saßen sie, als das Licht ausging, im Treppenhaus nebeneinander auf den Stufen, saßen im Dunklen und rauchten, ohne etwas zu sagen.

Dann, als sie die Zigarette, schon die zweite an diesem Tag, ausgeraucht hatte, drückte sie die auf der metallenen Scheuerleiste der Treppe aus, ging die paar Stufen nach oben, machte das Licht an. Der Tommy brachte ihr die anderen Sachen hoch, hob die Hand, sagte: Good luck. Bye bye, ging hinunter. Sie wartete am Schalter, damit das Licht nicht ausging, bis sie unten die Tür ins Schloß fallen hörte. Sie nahm den Karton mit den heilen und den drei kaputten Flaschen hoch und trug sie in die Küche. Glücklicherweise waren die Flaschen nicht so kleingesplittert, daß man den rotbraunen Matsch hätte wegkippen können. Sie fischte die Scherben aus dem Ketchup. Aber das Ketchup war verdorben, es war mit dem Currypulver vermischt. Sie holte den Abfalleimer, wollte es wegschmeißen, da leckte sie gedankenverloren an den verschmierten Fingern – leckte nochmals, hellwach, und nochmals, das schmeckte, das schmeckt, so, daß sie lachen mußte, scharf, aber nicht nur scharf, etwas Fruchtigfeuchtscharfes, lachte über dieses Mißgeschick, diesen schönen Zufall, lachte über den schönen Fehmantel, den jetzt die schöne rotblonde Frau des Intendanturrats trug, freute sich, daß sie sich den Mann länger hier in der

Wohnung gehalten hatte, lachte lauthals darüber, wie sie ihren Mann hinausgesetzt und dann die Tür hinter ihm zugeschlagen hatte. Sie stellte die Pfanne auf das Gas und schüttete den vom Boden zusammengeschobenen Curry samt Ketchup hinein. Da, langsam, erfüllte sich die Küche mit einem Duft, einem Duft wie aus Tausendundeiner Nacht. Sie probierte von diesem warmen rötlichbraunen Matsch und schmeckte, das schmeckte, ja, wie schmeckte das? Es war ein Kribbeln auf der Zunge, der Gaumen schien sich zu weiten, genau, das war es, was so schwer beschreibbar ist, mit bitter oder süß und schon gar nicht mit scharf, nein, der Gaumen wölbte sich, machte sich und die Zunge spürbar, ein Erstaunen, etwas, das sich auf sich selbst, auf das Schmecken richtete. Ali Baba und die vierzig Räuber, Rose von Stambul, das Paradies. Den Abend über experimentierte sie, nahm kleine Proben von dem Matsch am Boden, tat etwas Pfefferminze und etwas wilden Majoran hinzu, was beides nicht so gut schmeckte, versuchte es mit etwas Vanille, was gut war, mit etwas schwarzem Pfeffer, den ihr Holzinger damals gegeben hatte, etwas von dem Rest Muskatnuß, die sie für Bremers Kartoffelbrei organisiert hatte, und etwas Anis. Sie schmeckte diesen rotbraunen Matsch ab: Genau das war die Abrundung. Dafür gab es keine Worte. Und weil sie seit dem Frühstück nichts gegessen hatte, schnipselte sie sich eine von den hautlosen Kalbsbratwürsten in die Pfanne, briet sie mit dem Currymatsch. Und was sonst nur dröge und labberig schmeckte, war fruchtigfeucht mit diesem fernen, unbeschreibbaren Geschmack. Sie saß und aß mit Genuß die erste Currywurst. Nebenher schrieb sie auf einem aus einer alten Illustrierten herausgerissenen Zettel das Rezept auf, notierte sich die Gewürze, die auf der Dose angegeben waren, auch ihre Zusätze: Ketchup, Vanille, Muskat, Anis, schwarzer Pfeffer und frische Senfkörner, die eigentlich für einen Wadenwickel gedacht waren.

Am nächsten Morgen, einem naßkalten Dezembertag, grau in grau, kamen die ersten Kunden an die neueröffnete Imbißbude von Frau Brücker, zuerst die Nutten aus dem Billigpuff der Brahmsstraße, übernächtigt, geschafft, fix und fertig. Was hatten sie aber auch alles über sich ergehen lassen müssen. Es gab nichts, was es nicht gab. Sie hatten einen verdammt faden Geschmack im Mund und wollten jetzt etwas Warmes, auch wenn es happig teuer war, ne echte Tasse Bohne und ne Bockwurst oder ne Bratwurst, was es eben gab. Aber heute gab es weder Bockwurst noch Bratwurst, heute gab es nur verschrumpelte Bratwürste. Sahn aus wie n Witz. Die wurden auch noch kleingeschnitten, überschmiert mit so ner gräßlichen roten Soße, nein, einem rotbraunen Brei. Scheußlich, sagte Moni, aber dann, nach dem ersten Bissen, ein Schmecken, daß sie sich wieder spürte. Mann inner Tonne, sagte Moni. Das Grau hellte sich auf. Die Morgenkälte wurde erträglich. Es wurde ihr richtig warm, die lastende Stille laut, ja, sagte Lisa, det macht Musike, jenau. Lisa, die seit drei Monaten in Hamburg arbeitete, sagte: Det isset, wat da Mensch braucht, det is eenfach schaaf.

Damit begann der Siegeszug der Currywurst, ging aus vom Großneumarkt, kam zu einer Bude auf der Reeperbahn, dann nach St. Georg, dann und erst dann mit der Lisa nach Berlin, wo Lisa einen Stand an der Kantstraße aufmachte, kam nach Kiel, Köln, Münster, nach Frankfurt, machte aber sonderbarerweise halt am Main, dort behauptete die Weißwurst ihr Gebiet, die Currywurst kam dafür nach Finnland, nach Dänemark, sogar nach Norwegen. Die südlichen Länder hingegen erwiesen sich als resistent, allzusehr, da hat Frau Brücker recht, gehört ein in Bäumen und Büschen westernder Wind dazu. Ihre Herkunft hängt mit dem Grau zusammen, dessen Gegensatz im Schmecken das Rotbraun ist. Resistent erwiesen sich auch die oberen Gesellschaftskreise, keiner der Perrier-Jungs, keine der Boutiquentussis essen sie, denn man muß sie im Stehen essen, so zwischen Sonne und Regenschauer, zusammen mit einem Rentner, einem ausgeflippten Mädchen, einem nach Pisse stinkenden Penner, der einem seine Lebensgeschichte erzählt, einem King Lear, so steht man und hört eine unglaubliche Geschichte, mit diesem Geschmack auf der Zunge, wie die Zeit damals war, aus der die Currywurst kam: Trümmer und Neubeginn, süßlichscharfe Anarchie.

So stand eines Tages auch Bremer an dem Imbißstand. Er war von Braunschweig nach Hamburg gekommen, war zur Brüderstraße gegangen, hatte hochgeblickt zu dem Fenster, hatte sich gesagt, schön wäre es, wenn er noch immer da oben säße, nicht als Vertreter reisen müßte für Scheiben und Fensterkitt. Er hatte überlegt, ob er hinaufgehen und klingeln sollte. Aber er ging dann doch weiter und durch die Straßen, die er nicht kannte, obwohl er in dem Viertel fast vier Wochen gewohnt hatte. Er kam zum Großneumarkt, sah den Imbißstand, wollte etwas essen, und da sah er sie. Er erkannte sie nicht sofort. Sie trug einen weißen Kittel und hatte das Haar hochgesteckt. Der Stand war umlagert von Schwarzmarkthändlern, und über den Stand war als Regenschutz eine Feldplane in Tarnfarben gespannt, die Plane, die er bekommen hatte, April 45, um darauf in der Lüneburger Heide zu schlafen und sich vor anrollenden Panzern zu tarnen, die Plane, unter der er mit ihr durch den Regen gegangen war.

So eine kleingehackte Wurst, bitte!

Sie erkannte Bremer sofort. Sie mußte sich umdrehen, um durchzuatmen, um das Zittern ihrer Hände zu verbergen, als sie die Bratwurst zerschnitt. Er war wieder schlank geworden, und er trug tatsächlich den Anzug ihres Mannes. Es war haltbares, bestes englisches Tuch. Er hatte einen Hut auf, einen echten Borsalino. Den hatte er eingetauscht. Das Geschäft ging gut. Fensterkitt war damals gefragt. Es waren ja viele Scheiben kaputtgegangen. Er hatte sich überhaupt nicht verändert, nur der Hut saß ihm tief über den Augen. Kaffee, fragte sie in seine Richtung, echte Bohne? Er sah aus wie ein erfolgreicher Schieber. Egal, sagte er und dachte, sie müsse ihn an der Stimme erkennen. Also was, sagte sie, echte Bohne sind zwei Amis oder dreißig Mark. Er schmeckte noch immer nichts, und es war egal, ob er echte Bohne oder Eichelkaffee trank, aber er sagte dann doch: Echte Bohne. Ne Currywurst dazu, sagte sie, sind fünf Amis. Die Preise waren saftig. Aber er nickte. Sie hatte ihre Currymischung in die Pfanne geschüttet, ein ferner Duft, gab dann das Ketchup hinein und zum Schluß die angebratenen Wurstscheiben dazu. Sie schob ihm die Wurstscheiben auf einen kleinen Blechteller. Und er pickte sich mit dem Holzstäbchen eine Wurstscheibe auf, tunkte sie nochmals in diese rostrote Soße. Und da, plötzlich, schmeckte er, auf seiner Zunge öffnete sich ein paradiesischer Garten. Er aß die Wurst und beobachtete, wie sie bediente, freundlich und schnell, wie sie mit den Leuten sprach, wie sie einen Spaß machte, wie sie lachte, einmal sah sie zu ihm herüber, kurz nur und ohne jedes Erstaunen oder Überraschtsein, sah sein freundliches, nein, strahlendes Gesicht, so als habe er gerade etwas Wunderbares entdeckt, sie wiedererkannt, einen Augenblick zögerte sie, wollte sagen: Hallo, aber da verlangte ein anderer Kunde einen Eichelkaffee. Ihre Hände zitterten nicht mehr. Er wischte diese rostrote Soße sorgfältig mit etwas Brot auf, dann gab er den Blechteller zurück. Ging etwas weiter und sah nochmals zum Stand hinüber. Sie strich sich mit dem Oberarm eine Haarsträhne aus der Stirn. Eine graue Haarsträhne, die in dem Blond kaum auffiel, nein, es sogar schöner abstufte, aufhellte, sie griff die Kelle und goß über die Wurstscheiben diese rote Soße. Er sah, und so habe auch ich sie in Erinnerung, daß sie diese Bewegung tagtäglich wiederholte; es war eine elegante kurze Bewegung, leicht und mühelos.

Sie hob das Pulloverteil hoch, die Sonne hatte sich im Blau des Himmels knallgelb gerundet. Na, was sagste nu?

Wunderschön.

Will ma sehn, mit der Wolke, ob ich das noch schaff.

Sie sah über mich hinweg und bewegte die Lippen, weil sie wieder Maschen nachzählte.

Zerbrechlich sah sie aus, aber von einer großen Zähigkeit, ja Kraft. Ich wollte sie noch fragen, ob sie Bremer noch einmal getroffen habe, aber da ich abends noch eine

Verabredung hatte und es schon spät war, dachte ich mir, es hat Zeit, ich werde sie später einmal fragen. Aber es war dann doch keine Zeit mehr.

Am nächsten Tag fuhr ich nach München zurück, und wenig später ging ich für einige Monate nach New York.

Als ich nach gut einem halben Jahr wieder nach Hamburg kam und in dem Altenheim anrief, sagte mir der Pförtner: Frau Brücker? Is gestorben. Und wann? Is gut zwei Monate her. Sind Sie verwandt? Nein.

Wie war Ihr Name? Moment mal, sagte die Stimme, für Sie liegt hier noch ein Paket. Können Sie abholen, vergessen Sie nicht, einen Ausweis mitzubringen.

Nachmittags fuhr ich zum Altenheim und wurde vom Pförtner in das Heimleiterbüro geschickt. Eine junge stark überschminkte Frau schob mir ein kleines Paket über den Bürotisch, wollte den Ausweis nicht sehen, sagte, bei jedem Abgang bleibt was liegen, wir sind schon froh, wenn das Zeug überhaupt abgeholt wird. Hugo? Nee, der is weg. Studiert. Aber wo, das konnte sie mir nicht sagen. Ich nahm das Päckchen, eingewickelt in rotes Papier, mit kleinen Weihnachtsmännern darauf, und ging hinaus. Es war März, und der gnadenlose Paarungstrieb ließ die Amseln im Gebüsch aufeinanderspringen. Ich ging zum Auto, fuhr ein Stück, hielt an, zog die Schleife der feinen Goldkordel auf, entfaltete das Papier, das wahrscheinlich Hugo so säuberlich gefaltet hatte. Darin lag ein Pullover. Ich hob ihn hoch, ein kleiner Zettel fiel zu Boden. Auf dem Pullover eine Landschaft, hellbraun zwei Hügel, dazwischen ein Tal, auf dem rechten Hügel die Tanne, dunkelgrün, darüber der Himmel, eine knallgelbe Sonne, und dann war da noch eine kleine weiße Wolke, etwas zerfasert entschwebte sie ins Blau. Nein, das war mir sofort klar, tragen würde ich diesen Pullover nie, aber ich könnte ihn meiner kleinen Tochter schenken, die gern Currywurst ißt. Ich hob den Zettel auf, ein vergilbtes, aus einer Zeitschrift herausgerissenes Stück Papier, darauf standen in der großschleifigen Handschrift von Frau Brücker die Zutaten für die Currywurst. Auf der Rückseite ist das Stück eines Kreuzworträtsels zu sehen, ausgefüllt in Blockbuchstaben, die, vermute ich, von Bremer stammen. Einige Buchstaben ergeben keinen Wortsinn, andere kann man ergänzen, wie beispielsweise das fehlende sit zum Til. Fünf Wörter aber sind noch ganz zu lesen: Kapriole, Ingwer, Rose, Kalypso, Eichkatz und etwas eingerissen – auch wenn es mir niemand glauben wird – Novelle.

Uwe Timm im dtv

»Als Stilist und Erzähler sucht Uwe Timm
in Deutschland seinesgleichen.«
Christian Kracht in ›Tempo‹

Heißer Sommer
Roman
ISBN 3-423-**12547**-0

Johannisnacht
Roman
ISBN 3-423-**12592**-6
»Ein witzig-liebevoller Roman über das Chaos nach dem Fall der Mauer.« (Wolfgang Seibel)

Der Schlangenbaum
Roman
ISBN 3-423-**12643**-4

Morenga
Roman
ISBN 3-423-**12725**-2

Kerbels Flucht
Roman
ISBN 3-423-**12765**-1

Römische Aufzeichnungen
ISBN 3-423-**12766**-X

Die Entdeckung der Currywurst · Novelle
ISBN 3-423-**12839**-9
und dtv großdruck
ISBN 3-423-**25227**-8
»Eine ebenso groteske wie rührende Liebesgeschichte ...« (Detlef Grumbach)

Nicht morgen, nicht gestern
Erzählungen
ISBN 3-423-**12891**-7

Kopfjäger
Roman
ISBN 3-423-**12937**-9

Der Mann auf dem Hochrad
Roman
ISBN 3-423-**12965**-4

Rot
Roman
ISBN 3-423-**13125**-X
»Einer der schönsten, spannendsten und ernsthaftesten Romane der vergangenen Jahre.« (Matthias Altenburg)

Am Beispiel meines Bruders
ISBN 3-423-**13316**-3
Eine typische deutsche Familiengeschichte. »Die Jungen sollten es lesen, um zu lernen, die Alten, um sich zu erinnern, und alle, weil es gute Literatur ist.« (Elke Heidenreich)

Uwe Timm Lesebuch
Die Stimme beim Schreiben
Hg. v. Martin Hielscher
ISBN 3-423-**13317**-1

Bitte besuchen Sie uns im Internet: www.dtv.de

Asta Scheib im dtv

»Asta Scheib ist eine genaue Leutebeobachterin.«
Ponkie in der ›Abendzeitung‹

Kinder des Ungehorsams
Die Liebesgeschichte des Martin Luther und der Katharina von Bora
ISBN 3-423-12231-5
»Die vielleicht skandalöseste Liebesgeschichte Deutschlands.« (Klaus Modick in Radio Bremen)

Das zweite Land
Roman
ISBN 3-423-13401-1
Eine junge Kurdin in München. »Vielleicht trägt das Buch dazu bei, ein toleranteres Klima zu schaffen. Mit ihrem packenden Roman trifft Asta Scheib auf jeden Fall tiefer in die Herzen der Leser als jede Dokumentation über Bürgerkriegs-Flüchtlinge.« (Berliner Morgenpost)

Langsame Tage
Roman
ISBN 3-423-13420-8
»Ein Familien-, Frauen-, Mütter-, Ehe-, Liebes- und Einsamkeitsbuch ... Ein Stadtroman für intelligente Leser.« (Wolfgang Koeppen) – »Ein versponnenes, ehrliches Buch über eine Familie, die ihre Probleme allzugern unter den Teppich kehrt.« (Bunte)

Frau Prinz pfeift nicht mehr
Roman
ISBN 3-423-20634-9
Die Nachbarin ist tot – erschlagen von einem schweren Stein ... Ein spannender Psychothriller.

In den Gärten des Herzens
Die Leidenschaft der Lena Christ
Roman
ISBN 3-423-20731-0
»Ein einfühlsames, aber niemals pathetisches Porträt und gleichzeitig ein eindrucksvolles Stück bayerischer Zeitgeschichte.« (Nürnberger Nachrichten)

Beschütz mein Herz vor Liebe
Die Geschichte der Therese Rheinfelder
ISBN 3-423-20779-5
Die authentische Geschichte einer Münchnerin, die plötzlich erfährt, was es heißt, Jüdin zu sein.

Schwere Reiter
Roman · dtv großdruck
ISBN 3-423-25125-5
Mit dem Motorrad unterwegs. Zwei Frauen über fünfzig auf der Suche nach neuen Lebensinhalten.

Michael Kleeberg im dtv

»Ein Autor, der erzählen kann.«
Volker Hage im ›Spiegel‹

Barfuß
Novelle

ISBN 3-423-12357-5

Liegt das Liebesglück in der Auslöschung des eigenen Ich? Michael Kleeberg erzählt vom Einbruch des Chaos, der Sinne, des Todes in das scheinbar perfekte Leben von Arthur K., dem Mitinhaber einer Pariser Werbeagentur. Ein Text voller Radikalität und Schönheit. »Meisterhaft!« (Kölner Illustrierte)

Ein Garten im Norden
Roman

ISBN 3-423-12890-9

»Der Roman der Berliner Republik.« (Tilman Krause in der ›Welt‹) – »Ein fabelhafter und fabulöser Spannungsroman.« (Wolfram Schütte in der ›Frankfurter Rundschau‹)

Der Kommunist vom Montmartre
und andere Geschichten

ISBN 3-423-12938-7

»Sinnliche Geschichten, vergnüglicher Humor.« (Heinz Ludwig Arnold im ›Focus‹) – »Ein Leseglück der seltenen Art.« (Tilman Krause im ›Tagesspiegel‹)

Proteus der Pilger
Leben, Tod und Auferstehung des Hagen Seelhorst, erzählt von ihm selbst
Roman

ISBN 3-423-13034-2

Die Jugend- und Wanderjahre eines Mannes, der Held *und* Heiliger sein will. »Ein faszinierender Gegenwartsroman ... ein Buch aus einem Guß.« (Peter Körte in der ›Frankfurter Rundschau‹)

Der König von Korsika
Roman

ISBN 3-423-13102-0

»Ein ebenso sinnliches wie intelligentes Vergnügen.« (Dierk Wolters in der ›Frankfurter Neuen Presse‹) – »Ein kurzweiliger und stilistisch brillanter Schelmenroman.« (Dietmar Krug in ›Literaturen‹)

Der saubere Tod
Erzählung

ISBN 3-423-13378-3

Eine packende und illusionslose Beschreibung des Berliner Alternativ-Milieus Mitte der achtziger Jahre. »Prall voll Leben.« (Heinrich Goertz im ›Tagesspiegel‹)

Bitte besuchen Sie uns im Internet: www.dtv.de